2

PEDRO LIMA VASCONCELLOS

ARQUEOLOGIA DE UM MONUMENTO - OS APONTAMENTOS DE ANTONIO CONSELHEIRO

Copyright © 2017 É Realizações

Editor: Edson Manoel de Oliveira Filho

Produção editorial: É Realizações Editora

Projeto gráfico da capa e do box: Daniel Justi

Projeto gráfico do miolo: Nine Design Gráfico | Mauricio Nisi Gonçalves

Preparação de texto: Mariana Cardoso

Revisão: Jane Pessoa

Imagem da capa e do box: Guerra de Canudos – J. Borges

Reservados todos os direitos desta obra. Proibida toda e qualquer reprodução desta edição por qualquer meio ou forma, seja ela eletrônica ou mecânica, fotocópia, gravação ou qualquer outro meio de reprodução, sem permissão expressa do editor.

CIP-BRASIL. CATALOGAÇÃO NA PUBLICAÇÃO
SINDICATO NACIONAL DOS EDITORES DE LIVROS, RJ

V45a

Vasconcellos, Pedro Lima, 1964-
Arqueologia de um monumento : os apontamentos de Antonio Conselheiro / Pedro Lima Vasconcellos ; Prefácio de Leandro Karnal. -- 1. ed. -- São Paulo : É Realizações, 2017.
224 p. ; 23 cm.

Inclui bibliografia
ISBN: 978-85-8033-284-1

1. Conselheiro, Antonio, 1830-1897. 2. Brasil - História - Guerra de Canudos, 1897. I. Karnal, Leandro. II. Título.

17-39467

CDD: 981.05
CDU: 94(81)

É Realizações Editora, Livraria e Distribuidora Ltda.
Rua França Pinto, 498 · São Paulo SP · 04016-002
Caixa Postal: 45321 · 04010-970 · Telefax: (5511) 5572 5363
atendimento@erealizacoes.com.br · www.erealizacoes.com.br

Este livro foi impresso pela Pancrom Indústria Gráfica em fevereiro de 2017. Os tipos são da família DTL Elzavir ST, Trajan e Dear Sarah. O papel do miolo dos livros é o Luxcream 70 g, e o da capa dos livros, cartão Supremo 250 g.

PEDRO LIMA VASCONCELLOS
VOLUME 2
ARQUEOLOGIA DE UM MONUMENTO – OS APONTAMENTOS DE ANTONIO CONSELHEIRO

Prefácio
Leandro Karnal

SUMÁRIO

Prefácio: O Beato que Escreve – Leandro Karnal 13

Apresentação 17

CAPÍTULO I | Escavação de Sentidos: Conteúdos 27
1. O Teor das Prédicas 28
   1.1. "Os Dez Mandamentos" 28
      1.1.1. Primeiro Mandamento 29
      1.1.2. Segundo Mandamento 30
      1.1.3. Terceiro Mandamento 30
      1.1.4. Quarto Mandamento 31
      1.1.5. Quinto Mandamento 32
      1.1.6. Sexto Mandamento 34
      1.1.7. Sétimo Mandamento 34
      1.1.8. Oitavo Mandamento 36
      1.1.9. Nono Mandamento 37
      1.1.10. Décimo Mandamento 37
   1.2. "Temas Variados" 38
      1.2.1. Sobre a Cruz 38
      1.2.2. Sobre a Paixão de Nosso Senhor Jesus Cristo 40
      1.2.3. Sobre a Missa 41
      1.2.4. Sobre a Justiça de Deus 41
      1.2.5. Sobre a Fé 42
      1.2.6. Sobre a Paciência nos Trabalhos 42
      1.2.7. Sobre a Religião 42

1.2.8. Sobre a Confissão 43
1.2.9. Sobre a Obediência 43
1.2.10. Sobre o Fim do Homem 44
1.3. "Sequência Bíblica" 45
1.3.1. Como Adão e Eva Foram Feitos por Deus: O que lhes Sucedeu no Paraíso até que Foram Desterrados Dele por Causa do Pecado 45
1.3.2. O Profeta Jonas 47
1.3.3. Paciência de Jó 48
1.3.4. "De Moisés aos Juízes" 49
    1.3.4.1. Vocação de Moisés 50
    1.3.4.2. As Dez Pragas do Egito 50
    1.3.4.3. Morte dos Primogênitos, Cordeiro Pascoal, Saída do Egito 50
    1.3.4.4. Passagem do Mar Vermelho 51
    1.3.4.5. Codornizes, Maná e a Água no Deserto 51
    1.3.4.6. Os Dez Mandamentos, Aliança de Deus com Israel 52
    1.3.4.7. O Bezerro de Ouro 52
    1.3.4.8. Leis do Culto Divino 52
    1.3.4.9. Derradeira Admoestação de Moisés, sua Morte 53
    1.3.4.10. Os Juízes 54
1.3.5. Construção e Edificação do Templo de Salomão 55
1.3.6. O Dilúvio 56
1.3.7. Reflexões 56
1.4. Textos 58
1.5. Reflexão Final 61
2. ENTRE O AMOR E O PECADO: UMA VISÃO DO CONJUNTO 61
2.1. O Amor de Deus 62
2.2. O Pecado: Realidade e Esconderijos 62
2.3. A Paixão de Nosso Senhor Jesus Cristo 63
2.4. As Artimanhas do Demônio 64
2.5. A Religião 65
2.6. Os Mandamentos 66
2.7. A "Noite Medonha" 67

CAPÍTULO II | Prospecção da Autoria: Matrizes 71
1. Antonio Conselheiro, Leitor 73
2. A *Missão Abreviada* e Antonio Conselheiro 77
   2.1. O Livro do Peregrino 80
   2.2. A *Missão Abreviada* e os *Apontamentos* 84
      2.2.1. O Juramento Falso 85
      2.2.2. Sobre a Guarda do Dia do Senhor 87
      2.2.3. A Missa 88
   2.3. Apreciação 90
3. Um Livro Centenário 92
   3.1. O Peregrino do Sertão e o Peregrino da América 94
      3.1.1. O Matrimônio, sob Focos Distintos 96
      3.1.2. O Respeito ao Primeiro Mandamento 98
   3.2. Apreciação 102
4. Um Homem "Biblado" 104
   4.1. Temas Bíblicos 106
      4.1.1. Os Pressupostos 106
      4.1.2. Os Enredos 112
   4.2. Versículos Bíblicos 118
      4.2.1. Versículos Isolados 119
      4.2.2. Versículos Combinados 119
      4.2.3. Versículos Comentados 120
      4.2.4. Versículos Combinados e Comentados 121
5. Antonio Conselheiro, Autor 124

CAPÍTULO III | Reconstrução sobre Vestígios: Monumento 133
1. Nascimento, Vida e Morte de Belo Monte 134
   1.1. Protestos e Embate 134
   1.2. As Marcas de um Arraial 136
   1.3. A Guerra 141
2. Os *Apontamentos*... e o Estabelecimento do Belo Monte 146
   2.1. Antonio Conselheiro no Belo Monte, entre a Letra e a Voz 149

2.2. Os *Apontamentos*... e a Organização da Vida em Belo Monte 153
2.3. Os *Apontamentos*... e a Igreja Católica 158
2.4. Os *Apontamentos*... e a Construção das Igrejas em Belo Monte 165
2.5. Versículos Bíblicos e Belo Monte 173
2.6. Os *Apontamentos*... e a Religião Popular no Belo Monte 175
3. Dos *Apontamentos*... às *Tempestades*...: de 1895 a 1897 183
   3.1. Afinidades e Continuidades 186
   3.2. A Guerra e as Tempestades 187

Conclusão 197
1. Abrindo, no Sertão, as Portas do Céu 197
2. Desafios 199
   2.1. O Edifício Euclidiano 199
   2.2. Contextos Complexos 201
   2.3. Para a Compreensão das Religiões 203

Bibliografia 207

Para Angelita e Roberto,
pelo convívio quase cotidiano,
sempre inspirador para
o melhor que a vida pode ser
– e será –,
com afeto e reverência.

Robespierristas, antirrobepierristas, nós vos imploramos: por misericórdia, dizei-nos, simplesmente, quem foi Robespierre.
Marc Bloch

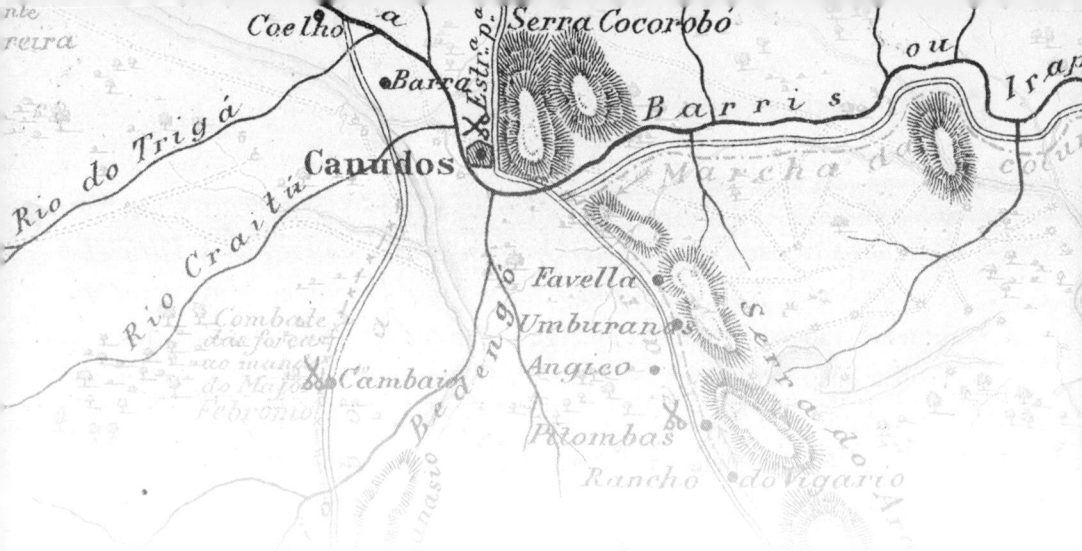

PREFÁCIO

O Beato que Escreve

LEANDRO KARNAL

A saga de Canudos já recebeu muita atenção. Foi alvo de dissertações e teses, tornou-se ícone literário com a pena de Euclides da Cunha, consta de todos os livros didáticos e virou filme. A aldeia sagrada foi imortalizada por um Prêmio Nobel peruano: *A Guerra do Fim do Mundo*, do grande Mario Vargas Llosa. Poucos temas tiveram tanta atenção midiática e acadêmica.

A figura de Antonio Vicente Mendes Maciel, o popular Antonio Conselheiro, encarnou um místico do sertão aos olhos de muitos, uma reação monarquista, um representante legítimo dos grupos explorados do Nordeste ou até a sobrevivência do Brasil do século XVII para os atônitos leitores do XIX, como asseverou o texto *Os Sertões: Campanha de Canudos*. Muitos papéis foram impostos a este cearense que liderou o movimento sociorreligioso de Canudos. A esquerda vestiu-o com roupa revolucionária e a direita impôs trajes reacionários ao beato.

Faltava uma peça que deixasse o homem real falar. Pedro Lima Vasconcellos a trouxe à luz pública. Os *Apontamentos dos Preceitos da Divina Lei de Nosso Senhor Jesus Cristo, para a Salvação dos Homens* constituem um documento valioso. No texto emerge um conhecimento sólido da doutrina católica, inspirado numa espiritualidade um pouco tridentina e um pouco ultramontana do século XIX. Os autores citados são teólogos elaborados, com largo embasamento na Bíblia e outras fontes. A organização remete um pouco a um catecismo oficial, mas com evidente interpolação do Conselheiro. A leitura traz uma personagem muito diferente do euclidiano, como lembra o autor da transcrição. Se tivesse acesso a este documento, Euclides teria mudado muita coisa na sua reflexão.

Como Antonio Conselheiro via Deus e a religião? Um Deus amoroso mas justo, uma escatologia absolutamente ortodoxa, uma noção de leis baseada no decálogo, um mundo claro e muito distinto dos relativismos contemporâneos: eis alguns traços teológicos da cabeça do homem santo de Belo Monte. Veja-se este trecho, com ortografia atualizada:

> Deus é paciente, diz Santo Agostinho, porque é Eterno. Mas depois dos dias de paciência virá o dia da Justiça, dia tremendo, dia inevitável; em que todos os homens comparecerão diante do Rei da Eternidade, para darem conta de suas obras, e até de seus pensamentos. Transportai-vos em espírito a esse momento formidável: eis que o pó dos túmulos se comove; e de toda parte a multidão dos mortos corre aos pés do Supremo Juiz. Ali todos os segredos se descobrem, a consciência já não tem trevas, e cada um espera em silêncio a sorte que lhe está reservada para todo sempre. É para espantar que seja necessário dizer continuamente ao homem: Pensa em tua alma, o tempo foge, vem chegando.

É uma peça que mistura a Patrística com as escrituras. É um *Dies Irae* e uma leitura do trecho de Mateus 25. Há um pouco do afresco do Juízo Final de Michelangelo na Capela Sistina, um pouco da advertência das missões populares daquele momento, um traço de espiritualidade joaquimita e um advento da terceira idade, a do Espírito Santo, que ressignificaria o mundo e suas injustiças. Existe o apelo ultramontano ao indivíduo e seu arrependimento, não apenas a dimensão do Juízo geral, mas também do particular e único. Fala da adesão consciente dos exames de consciência pregados por jesuítas nos seus exercícios e a sensação de culpa das impactantes pregações capuchinhas no Nordeste. É o século XVI e o XIX, teológico e de devoção popular, explosão mística e enumeração teológica. Se as elites urbanas da capital viram no Conselheiro o brasileiro arcaico, o texto parece indicar um homem letrado acima da média e fruto de todo o processo colonizador e missionário do Brasil.

Teria o Conselheiro consciência de tudo isso ao escrever esta peça extraordinária que o talento de Pedro Lima Vasconcellos trouxe à tona? Tudo isso pode ser debatido, mas, sem dúvida, desde que seu corpo foi desenterrado após a tragédia de 1897, talvez seja a maior exumação do cadáver do homem que tremeu a jovem República. Pela primeira vez e de forma impactante, entramos na cabeça do homem santo de Canudos. Como convém a toda grande descoberta documental, sem esta peça, o mosaico dos episódios de então não seria completo. Todos os estereótipos que dominaram a opinião urbana sobre o movimento foram deslocados. Se o verdadeiro é um sonho interditado aos historiadores contemporâneos, o verossímil ganhou muito com esta publicação. O arraial santo foi destruído e depois alagado. A obra de Vasconcellos revive a tragédia e sua personagem central. O sertão virou mar, enfim.

APRESENTAÇÃO

*S*eriam tempos novos aqueles, e exigentes. Quatro décadas marcadas por ciclones de poeira seca, nas terras duríssimas e rachadas do sertão nordestino, dissipam, no vapor, a mãe, o pai, a esposa adúltera, a fonte dos recursos financeiros herdados da família e a derradeira aposta no amor de uma mulher. Penumbras cinzentas no mundo obscuro de uma mente que, diante da adversidade, reluz, caminha, se refaz. É nesse cenário, alvo do sol escaldante que ofusca as certezas do futuro, onde a vida murcha, que brotam, das sementes das incertezas, as ideias obstinadas de um homem ímpar, regadas por letras que caem do céu. Para esse homem em quem ecoavam essas tantas letras (muitíssimo mais que as possíveis à quase totalidade de seus conterrâneos ou dos que com ele travavam contato), a tarefa de professor e rábula prenunciou seu gosto e intento pelo outro. Peculiar trajetória, que em nada permitia intuir o que estava por vir: aproximadamente mais vinte anos de andanças, agora nas vestes azuis de um missionário pregador, líder espiritual, reconstrutor de igrejas e cemitérios sertão afora, aqui e ali importunando padres e missionários, que não economizariam esforços em alcançar de autoridades influentes seu silenciamento por meios de acusações policiais e até mesmo internação psiquiátrica, sem sucesso.

Seriam tempos de desafios multiplicados e impensáveis os que viriam na última década do século XIX, que o levariam não ao hospício, mas à história, passando pelo enfrentamento perseverante no rumo da confirmação de suas crenças invencíveis. A notícia da mudança do regime político no Brasil chegara-lhe atravessada, e sua indisposição frente a ele só aumentaria nos meses seguintes, quando essa novidade se materializar em novos impostos capazes de a todos escravizar, não apenas os negros que, estava ele convencido, a princesa Isabel acabava de alforriar. Padres lhe disponibilizavam o púlpito, e em reuniões noturnas com seu séquito não se cansava de lançar impropérios à República, como obra de Satanás, e de respaldar movimentos de rebeldia frente aos tributos que agora os municípios tinham licença de cobrar. Em tempos assim turbulentos a arma de sempre contra o povo desvalido e suas lideranças: a repressão policial, que nesse caso veio a ser repelida. Eram os últimos dias de maio de 1893, perto de Masseté, vilarejo no sertão nordeste da Bahia.

Sim, teriam de ser tempos novos, pois no entendimento de Antonio Vicente Mendes Maciel, Conselheiro já há tanto tempo, a vida de peregrino que vinha trilhando acabava de ser inviabilizada: sentia correr risco de morte; uma segunda investida armada seria questão de tempo. Pelo que então haveria de vir ele não poderia esperar: no intervalo (maior do que o previsto) até a próxima incursão repressiva, ele se poria a edificar uma cidade! As coisas convergiriam nesse sentido, sem que ele o pudesse antever: o convite, recebido já fazia certo tempo, para reconstruir uma antiga igrejinha dedicada a seu santo onomástico podia ser agora aceito: o lugarejo então denominado Canudos era minúsculo, virtualmente ignoto, com significativa dificuldade de acesso a desavisados e desconhecedores da região.

E os trabalhos serão muitos: organizar a sobrevivência em sua base mais urgente: que todos tenham seu canto, descubram uma ocupação entre o plantio, o pastoreio, ou ainda algum serviço nas redondezas; as mulheres na fiação e na cozinha, a meninada na escola. Os idosos e inválidos não podem ficar desamparados: um caixa composto com dádivas e com parte do que é produzido pelos demais cuidará desse desafio de mera e demasiada humanidade, vivenciado com as tintas e marcas do que, estava ele seguro, terá sido o primeiro cristianismo. Temores de uma catástrofe escatológica, se terão passado por sua cabeça no contexto dos eventos de Masseté, não poderiam mais dominá-lo: era gente e mais gente que chegava, com seus poucos pertences e dinheiro para compartilhar com o Conselheiro. Era necessário ordenar ruas, vielas, espaços comuns de trabalho e convivência e construir, construir muitas casas, casinholas (até doze por dia seriam elevadas, segundo informações). E aquela capelinha de Santo Antônio agora era insuficiente, não dava mais: urgia construir uma igreja para o padroeiro do agora renomeado Belo Monte, o santo a merecia; um contingente muito maior de pessoas a demandava; os santos cujas imagens eram trazidas pelos que chegavam também a reivindicavam. E foi tanta gente a se incorporar a esse trabalho especial, carregando as pedras, ajustando as madeiras, e tanto mais. E logo seria preciso construir outra igreja; madeiras para a obra, pagas e não entregues, forneceriam o estopim para a repressão que, enfim, para alívio de tantos fazendeiros, políticos e padres, começaria em fins de 1896...

Mas ainda estamos antes da guerra. Nos intensos anos de 1893, 1894, 1895, o velho (sim, ele já passava dos sessenta), de poucas palavras e muitos conselhos, entendia claramente que aquele "seu" povoado não vivia só dos derivados do milho ou do bode, entre outros ingredientes daquela peculiar culinária, mas também e decisivamente de toda palavra saída da boca de Deus. E como tais palavras chegariam aos ouvidos e corações daquela gente que justamente por conta delas o seguia, disso ele não tinha dúvidas: os padres nem sempre eram confiáveis, alguns eram mesmo falsos. Era pela voz dele que os desígnios amorosos de Deus, seus mandamentos e apelos ecoariam, suspendendo rezas, interrompendo afazeres. E ele pregava, fala mansa, para o bem, garantem testemunhas e ouvintes, sem deixar de arremeter censuras e advertências quando julgasse necessário. Essas palavras vindas do céu à terra, traduzidas no sertão do Rio Vaza-barris (à beira do qual a vila ia sendo erguida e se avolumava em tamanho e gente), eram também aquelas destinadas a abrir, e não a fechar, as portas do paraíso. Estas últimas pareciam a muitos, a se julgar pelos horrores descritos e previstos por tantos missionários, emperradas; o empenho do Conselheiro consistia em destravá--las. E o pessoal do Belo Monte vai dizer a um atônito capuchinho, enviado ao arraial para ver se lhe alcançava a dissolução, que não precisava de padres para se salvar; ali estava o Conselheiro...

Mas, em estreita consonância com essa tarefa essencial, que a ouvidos e sensibilidades pouco simpáticos soava abstrusa e mesmo pavorosa, havia pelo menos outras duas. O Conselheiro era leitor ávido, não de muitos livros, mas daqueles que eventualmente lhe chegassem às mãos e correspondessem, de alguma forma, a seus interesses e intenções. Passaram-lhe na mão as Sagradas Escrituras (agora disponibilizadas também em vernáculo, além do latim, e enfim impressas a mando dos eclesiásticos brasileiros, para fazerem concorrência às edições, taxadas por eles de espúrias, distribuídas em tantos lares deste país por missionários protestantes). Seja como for, sua frequência ao livro sagrado e a familiaridade estabelecida com ele levaram a que se dissesse dele, sertão afora, que se tratava de um homem "biblado". E com outros livros também foi possível estabelecer um contato mais próximo, e por meio deles lhe chegam palavras, recomendações, enunciados, parágrafos de tantas figuras ilustres do cristianismo, algumas das quais ele talvez conhecesse pouco mais que o nome (ou às vezes nem isso). Desse modo interage com o que tais livros (mas também tantos sermões e catequeses ouvidos nas mais variadas oportunidades) atribuem a santos eruditos como Agostinho, Jerônimo, Pedro Damião, Tomás de Aquino ou a teólogos como o cardeal Hugo, o jesuíta Cornelius a Lapide. Temas desenvolvidos com ardor pelo italiano Afonso Maria de Ligório lhe chegam ao conhecimento. Modos já tradicionais de aproximação e interpretação dos textos bíblicos são-lhe pelos livros comunicados e ensinados. Registra no pensamento algumas dessas palavras e sentenças; e seguramente recorre a elas em suas constantes prédicas ao povo do Belo Monte. Entre o que lê e o que proclama haverá continuidades, mas também diferenças, nos acentos, nas omissões, nas reelaborações, etc. A palavra do Conselheiro é expressão do seu pensamento, alimentado de tantas fontes e referências que hoje, ao menos em parte, desconhecemos.

Mas em meio a tantos fazeres, cuidando ao mesmo tempo da terra e do céu, da vida e da morte de tantos que lhe passam pelas mãos e lhe confiam as melhores esperanças e os mais ardentes temores, preocupado com a sua salvação eterna e a de todos quantos nele apostam, o Conselheiro escreve. Escreve até que se lhe cansem as mãos. Nesse momento passa a ditar. Dita o seu pensamento, alimentado de tantas audições, leituras e reflexões. Na verbalização se serve eventualmente de frases, ou mesmo parágrafos das obras a que tem acesso. Às vezes os transcreve, mais ou menos extensamente. Em outras oportunidades lhes oferece alguma paráfrase. No entanto, que tal constatação não induza a engano: a palavra que essa escrita registra é a do Conselheiro, não dos autores dos quais se terá servido e de quem mesmo terá transcrito passagens. Até da Bíblia se encontram, nos cadernos que recolhem as anotações do líder do Belo Monte, transcrições seletivas, omissões, supressões, interrupções, paráfrases.

É que a palavra do Conselheiro no Belo Monte, eventualmente registrada por escrito, não deriva só daqueles livros que pôde ler, dos sermões e catequeses que terá podido escutar. Ela resulta de muito mais leituras, aquelas feitas em sessenta e mais anos de vida, das tantas existências que lhe cruzaram o caminho, dos conflitos, dissabores e misérias vividos por ele e tanta gente da qual desconhecia os nomes, dos tempos novos que lhe cabia enfrentar, do Belo Monte que ia ganhando contornos novos a cada dia que chegavam mais pessoas, outras casinholas se erguiam, as paredes das igrejas iam ganhando corpo, o trabalho fervilhava, temores dentro e fora do arraial se manifestavam. A palavra do Conselheiro é dele, mas não resulta de uma torre de marfim em que ele estivesse retirado, absorto, imune à tessitura cotidiana que fazia a vida e as esperanças do vilarejo que ia constituindo-se em sua obra-prima e numa alternativa tão atraente para alguns milhares de homens e mulheres do sertão. É uma palavra-resposta: resposta à gente que com ele partilha o cotidiano, os bens, as agruras nos trabalhos, os momentos de prece; resposta aos padres (os falsos), que mais desviam do caminho da salvação do que o indicam; resposta do peregrino ao seu criador e destino último pelo qual tão ardentemente anseia. Essa palavra funda e viabiliza o Belo Monte, legitima-o, fortalece-o.

Não é a palavra de simples reprodução de um receituário católico, como se este pudesse ser previamente identificado ou fosse monolítico; não é a de um padre em quem a palavra exortativa ou de ensino apenas secunda aquilo que o constitui como tal, a saber, o poder sacramental. A palavra dita e escrita pelo Conselheiro no Belo Monte pretende valer por si mesma; ou seja, ela é a expressão por excelência da sua força carismática. Mesmo quando transcreve, a palavra é dele; quando combina fragmentos, o elo que faz o sentido das cadeias é dado por ele. Se a tivesse podido conhecer, Machado certamente teria como responder à pergunta que lucidamente se fazia, sobre o vínculo que prendia ao Conselheiro, tão fortemente, milhares de vidas sertanejas.

Mas foi por pouco que Euclides da Cunha deixou de conhecer dois cadernos, com a letra e o nome do Conselheiro. Isso porque, ao contrário do que pretendeu fazer passar, ele não ficou para assistir à derrocada final do vilarejo conselheirista. E esses cadernos foram encontrados depois que os últimos tiros haviam já sido disparados, os últimos resistentes já haviam tombado, antes da destruição final, agora pelo fogo, no dia seguinte. Corria o fatídico 5 de outubro de 1897 quando os soldados e outros combatentes, vasculhando escombros e ruínas em busca do corpo do Conselheiro, morto fazia uns quinze dias, em vez do cadáver o que encontraram foi um caderno, e depois outro.

Mas, na escrita de *Os Sertões: Campanha de Canudos,* o escritor garantiu, a partir sabe-se lá de quê, ser a retórica do Conselheiro "bárbara e arrepiadora", confusa e desconexa, condizente, portanto, com a imagem fantasmagórica que do líder ele pintou no decisivo capítulo IV da parte II de sua obra maior, a de um atormentado profeta milenarista. Certamente por isso, essas linhas categóricas, definitivas, com poder quase dogmático para forjar a imagem do Conselheiro que perpassou o século passado e invadiu as imaginações da grande maioria das pessoas que travaram algum contato com o tema, a publicação de um desses cadernos em 1974 tenha passado praticamente em branco, com parca repercussão nos estudos e debates. E o outro deles tenha completado mais de um século sem ser impresso e conhecido. Até agora.

Os *Apontamentos dos Preceitos da Divina Lei de Nosso Senhor Jesus Cristo, para a Salvação dos Homens* se constituem em um último terço deste caderno ignoto, e é deles que aqui me ocupo. Os dois terços anteriores são compostos de uma transcrição dos livros bíblicos do Novo Testamento, intrigantemente interrompida ao final do capítulo 12 da carta de Paulo aos Romanos. As linhas seguintes do texto sagrado pareceriam, à sensibilidade do Conselheiro, confirmar o argumento, desfraldado por ousados missionários capuchinhos, em visita ao arraial com o fito de alcançar-lhe a dissolução, de que todo poder estabelecido, incluído o até então combatido regime republicano, é instituído por Deus? De toda forma, é com a data de 24 de maio de 1895, três dias após a abrupta partida dos frades, que Antonio Maciel abre seus *Apontamentos*... (assim denominarei a partir de agora a sua obra), cujo teor e significação urge conhecer. Neles só se trata de questões fundamentais, cruciais para sustentar a história do Belo Monte que já completava dois anos: a observância dos mandamentos divinos, a consciência da falibilidade e da limitação humanas, a que deve corresponder, com sobras, a certeza da infinita amorosidade divina, mas também de sua justiça: quem se atreveria a declarar a irrelevância de tais conteúdos para um vilarejo que deveria, aos olhos de seu mentor, propiciar possibilidades privilegiadas para a salvação eterna de seus habitantes? É certo que a sensibilidade acadêmica, fora e dentro de nosso país, tem sido pouco afeita a considerar os valores e impulsos de fundo que mais fortemente costumam motivar as ações e posicionamentos das pessoas, especialmente a da "gente pouco importante", entretida com o que o vocabulário chique da elite letrada e culta tenderia a qualificar como superstição, crendice, derivadas ou da ignorância, ou do atraso, ou da alienação, nomes eruditos para nomear o preconceito...

Mas os *Apontamentos*..., à medida que nos dão algum acesso (o mais privilegiado que seria possível!) à palavra do Conselheiro que regularmente ecoava nos ouvidos da gente que o seguia, apontam os ideais (ao menos parte expressiva deles) que ele desejaria ver impressos e experimentados no arraial por ele liderado. A consideração desse conteúdo é fundamental para se aquilatar a espiritualidade que animava o Conselheiro e que, de alguma forma, alimentava a comunidade que se formou ao seu redor. Emerge daí um peregrino com os pés bem fincados na terra, entusiasmado pelo amor de Deus e pelas invenções Deste para se fazer amar dos homens, rigoroso na indicação dos compromissos e valores a serem cultivados no arraial, razões do conflito que a existência dele suscitou e que o levaram, ao fim de tudo, a sua brutal destruição.

Para alcançar este propósito organizo a presente obra, em três passos. Em primeiro lugar, ofereço uma aproximação ao conteúdo destes *Apontamentos*..., destacando as linhas gerais de cada uma das meditações/prédicas que os compõem e indicando os contornos básicos da visão religiosa do mundo e da existência humana que se depreendem da leitura desse conteúdo. Como se trata de um material praticamente desconhecido, cabe ir devagar, identificando elementos que favoreçam uma percepção qualificada dele.

A seguir, trato de considerar o conteúdo dos *Apontamentos*... à luz de algumas das matrizes literárias em que ele certamente está ancorado, em particular a Bíblia judaico-cristã, a *Missão Abreviada*, livro católico de meditações muito em voga no Brasil da segunda metade do século XIX, e o então afamado *Compêndio Narrativo do Peregrino da América*. Do confronto com esses três livros que muito serviram ao Conselheiro resulta um conjunto de prédicas com teor diferenciado, revelador de intenções decisivas das suas ações e posturas.

E é a isso que quero chegar: aquilatar a relevância dos *Apontamentos*... para uma sempre mais adequada abordagem do vilarejo conselheirista, cujos habitantes, sob a liderança daquele que "subscreve" o caderno manuscrito, e certamente animados pelo teor de seu conteúdo, ao qual terão dado recepção peculiar, vieram a construir uma das páginas mais polêmicas e grandiosas da história brasileira.

As páginas que se seguem cumprem, enfim, um dever com essa história, particularmente aquela dos grupos marginalizados social e/ou religiosamente que ousaram alternativas e pagaram o preço de terem, quase invariavelmente, as vidas de seus membros eliminadas. São os *Apontamentos*... "assinados" pelo Conselheiro que justificam a empreitada, e, com eles, a trajetória ao mesmo tempo empolgante e trágica da gente que com ele fez o Belo Monte. Um vilarejo que, emergido das longínquas margens do Vaza-barris, ensaiou um caminho que assombrou (e apavorou) os contemporâneos, impôs-se à consciência nacional ao inspirar a criação de uma das obras-primas da literatura brasileira e continua resistindo a entregar as chaves, que permitam decifrar os seus enigmas, a quem se lhe aproxime com visões reducionistas e preconcebidas. A estas os *Apontamentos*... certamente surpreenderão, a aparência ingênua ou anacrônica de seus conteúdos lhes suscitará no máximo uma expressão de comiserado desdém. A visões mais generosas e sensíveis à "questão do outro" (Todorov) as páginas do manuscrito tocarão, estimulando a que se busquem as vozes do sertão, e os sentidos nele experimentados. A saga conselheirista, com seu brutal desfecho, é empolgante, reveladora de algumas das mais expressivas sublimidades possíveis de serem geradas pela humanidade, e também de algumas das suas mais cruéis competências, ou, nos termos do próprio Conselheiro, alguns de "seus [mais] tristes esconderijos".[1]

❏

Originalmente este trabalho (junto à transcrição dos *Apontamentos*..., acompanhada de notas explicativas), resultado de investigações e cursos que organizei, bem como de pesquisas que orientei, foi apresentado em junho de 2009 como parte dos requisitos para a obtenção do título de livre-docente em Ciências da Religião, junto ao (hoje extinto) Departamento de Teologia e Ciências da Religião da PUC-SP, diante de uma banca de renomados investigadores, cujos nomes me apraz aqui recordar: Enio José da Costa Brito (PUC-SP), Jerusa Pires Ferreira (PUC-SP), João Décio Passos (PUC-SP e presidente da banca), Paulo Augusto de Souza Nogueira (Umesp), Pedro Paulo de Abreu Funari (Unicamp). Para esta publicação o material sofreu ajustes de não pouca monta, inclusive para que fosse possível desmembrar a transcrição dos *Apontamentos*... da aproximação analítica que neste volume é proposta.

---

[1] Antonio Vicente Mendes Maciel, *Apontamentos dos Preceitos da Divina Lei de Nosso Senhor Jesus Cristo, para a Salvação dos Homens*. Caderno manuscrito, Belo Monte, 1895, p. 153. Edição em CD-ROM pela Universidade Federal da Bahia, 2001.

CAPÍTULO I

Escavação de Sentidos: Conteúdos

Inicialmente, façamos uma aproximação ao conteúdo dos *Apontamentos...*, tomados em seu conjunto. O que neste momento importa é o teor do escrito, com os destaques temáticos que facilmente são notados, sem considerar as intencionalidades do autor e sua eventual originalidade frente às fontes de que terá feito uso. Também não cabe, por ora, perguntar-se sobre o que a leitura dessas páginas revelaria a respeito dos contornos do Belo Monte idealizados por seu líder, aquele que, em última instância, se responsabiliza pelo seu conteúdo, a ser reproduzido no arraial, para a salvação de seus habitantes. Para tratar dessas questões teremos os capítulos seguintes.

1. O TEOR DAS PRÉDICAS

Três observações servem como coordenadas. Como se verá com mais detalhes no momento oportuno, parte considerável dos *Apontamentos...* encontra-se reproduzida também em outro caderno manuscrito, que leva a data de 12 de janeiro de 1897 e o título *Tempestades que se Levantam no Coração de Maria por Ocasião do Mistério da Anunciação*.[1] Em segundo lugar, já que os *Apontamentos...* não apresentam qualquer tipo de divisão em seu interior, proponho uma, apenas com o propósito de organizar a exposição que se segue:

a) Os dez mandamentos (dez prédicas, p. 3-121);
b) Temas variados (dez prédicas, p. 122-64);
c) Sequência bíblica (dezesseis prédicas, p. 165-234);
d) Textos (p. 235-47);
e) Reflexão final (p. 248-50).

Finalmente, após a exposição do conteúdo básico do conjunto das prédicas, trato de apresentar como e o que emerge delas como constitutivos básicos da visão de mundo de Antonio Conselheiro.

1.1. "Os Dez Mandamentos"

Parece que o título *Apontamentos dos Preceitos da Divina Lei de Nosso Senhor Jesus Cristo, para a Salvação dos Homens* se refere mais propriamente à série de prédicas consagrada aos tradicionais "Dez mandamentos", que derivam, em geral, do que se lê em Êxodo 20,1-17 (inclusive tal título aparece repetido, em forma abreviada, na página em que se inicia o comentário ao primeiro

---

[1] Veja transcrição integral de seu conteúdo em Ataliba Nogueira, *António Conselheiro e Canudos: Revisão Histórica*. 3. ed. São Paulo, Atlas, 1997, p. 57-197. Deste manuscrito encontramos análise exemplar de Alexandre Otten (*"Só Deus é Grande": A Mensagem Religiosa de Antonio Conselheiro*. São Paulo, Loyola, 1990, p. 203-47).

mandamento). A exposição referente ao Decálogo visa, portanto, orientar as condutas em vistas à salvação, horizonte que não pode ser perdido de vista, caso se pretenda uma compreensão adequada do que passamos a ler.

1.1.1. Primeiro Mandamento[2]

A formulação do primeiro mandamento aparece em acordo com o que se lê em Mateus 22,38: "Amarás o Senhor teu Deus de todo o teu coração e de toda a tua alma, e de todo o teu entendimento. Este é o máximo e o primeiro Mandamento". Curioso é notar como o texto logo passa a considerar o amor de Deus por suas criaturas, a que o amor humano há de ser adequada e indiscutível resposta. Maior expressão do amor divino ou, nos termos do Conselheiro, a maior das "invenções do amor do nosso Deus para se fazer amar dos homens" (APDL, p. 7) foi a entrega de seu Filho em favor deles. A morte de Jesus transpira amor, à medida que se constitui no mais fundamental dos "segredos que o amor de nosso Deus tem achado para nos salvar" (APDL, p. 11). Entendido como resultado de uma condenação à morte vinda da parte de Deus, esse gesto, o mais extremo entre "as mais extraordinárias provas de amor", foi assumido "para cativar o nosso afeto" (APDL, p. 13). E indo além da concepção convencional e tradicional (que ele assume), segundo a qual a morte de Jesus se deu como forma de expiação da "pena que merecíamos", "apagando com seu Sangue a ata da nossa condenação" (APDL, p. 12), o Conselheiro, apoiando-se em Paulo e em outros comentadores, está convencido de que o Salvador veio ao mundo "para que os homens mortos pelo pecado recebam" por ele "não somente a vida da graça, mais uma vida mais abundante do que a que tinham perdido pelo pecado" (APDL, p. 16).

Assim, fazendo eco a outro comentador, o Conselheiro pergunta: "Quem pois [...] não amará a Jesus que morre por nosso amor?" (APDL, p. 8) A observância do primeiro mandamento, que consiste fundamentalmente em abandonar o pecado (APDL, p. 18), e decorre das tantas e grandiosas

---

[2] Para não multiplicar o número de notas com as citações extraídas dos *Apontamentos...*, indico no corpo do texto o número da página do manuscrito em que cada uma delas se encontra, antecedido da sigla APDL. As citações são transcritas com ortografia atualizada.

manifestações do amor de Deus, não se justifica primeiramente por se "temer a condenação eterna" (APDL, p. 17).

1.1.2. Segundo Mandamento

Trata-se aqui dos juramentos, particularmente daqueles falsos, em que o nome de Deus é blasfemado. O Conselheiro imagina diversas situações práticas em que a referida prática se mostra deletéria, comparável à ação do "carrasco quando fazia sua vítima" (APDL, p. 21). Depois passa a considerar os motivos que levam a práticas assim levianas, julgando ser o principal deles o "esquecimento da morte" (APDL, p. 23). Nessa perspectiva é entendida a cena genesíaca do paraíso, quando Satanás conseguiu vencer a resistência de Eva garantindo-lhe que não morreria mesmo consumindo do fruto proibido por Deus. Outra faceta do mandamento, a fidelidade a Deus, é ilustrada pelos soldados romanos que se recusaram a se submeter às ordens do imperador Juliano de cultuar os ídolos. Dessa ponderação deriva outra, a última dessa prédica: a responsabilidade dos que têm dever de exercer a justiça, "os quais muitas vezes tiram a justiça a quem a tem, para darem a quem não a tem" (APDL, p. 28). Eles deveriam inspirar-se no "juiz de vara vermelha", Moisés, e no "juiz de vara branca", Jesus, que "veio pobre, viveu independente, morreu despido e partiu-se para a sua Pátria com muitas enchentes de Graças, pelos merecimentos que fez na terra em todo tempo de seu bom Governo, levando o título de Rei" (APDL, p. 31).

1.1.3. Terceiro Mandamento

Parte-se da constatação de que muitos não têm santificado "o Domingo e dia Santo de guarda à vista da qualidade da Belíssima Pessoa que sofre essa ofensa" (APDL, p. 32). O domingo é dia de memória das obras de Deus; por isso ele o abençoou e santificou (cf. Gênesis 2,2). Cabe portanto observá-lo, "ouvindo Missa, lendo livros espirituais, rezando o Rosário, e assistindo os atos da Religião" (APDL, p. 33).

Mas o Conselheiro vai além, tomando a observância da "Lei de Nosso Senhor Jesus Cristo", aqui materializada na exigência da guarda do preceito dominical, como o ponto de partida para uma exposição mais geral sobre uma curiosa evolução das leis ao longo da história humana:

> [...] logo no princípio do mundo houve a Lei da Natureza, que guardaram Adão e seus descendentes; e depois Deus deu a Moisés a Lei escrita; foram ambas, a respeito da Lei da Graça, como um Regimento por onde os homens se governassem, para se não perderem até que viesse ao mundo Jesus Cristo, verdadeiro Messias prometido por Deus aos Patriarcas profetizado pelos Profetas, e por um e outro tão esperado. O qual, depois que chegou e aparecendo no mundo com verdadeira Luz, para exterminar das almas as trevas da culpa: uma e outra Lei encheu e reformou fazendo-a verdadeira Lei da graça (APDL, p. 33-34).

As presentes gerações são privilegiadas, portanto, em relação às que viveram antes do tempo da "Lei da graça", o que torna incompreensível e mesmo intolerável a não observância dos seus preceitos. O pecado que aí se manifesta tem sua gravidade acentuada quando se comparam quem o comete, "um vil bichinho da terra", e aquela "Majestade infinita" contra quem ele é praticado (APDL, p. 37). Por outro lado é nesse cenário que o texto recorre ao quarto Evangelho, recordando as palavras de Jesus, em João 14,21, segundo as quais "aquele que tem os meus Mandamentos e que os guarda: esse é o que me ama. E aquele que me ama será amado de meu Pai e eu o amarei também, e me manifestarei a ele" (APDL, p. 41). O último apelo é no sentido de que o tempo não seja desperdiçado, e que não se deixe para depois (como fizeram as pessoas no tempo de Noé), para a hora da morte o cuidado para com a salvação, o único decisivo.

1.1.4. Quarto Mandamento

A prédica versa sobre os deveres dos filhos em relação aos pais (amor, respeito, obediência e socorro, nos planos material e espiritual) e destes em relação àqueles (particularmente o sustento e a educação, evitando os mimos excessivos), em vistas a conservar as famílias como "joias de grande valor precioso, que Deus lhes tem encarregado" (APDL, p. 47). A regra é que os filhos se casem "a contento de seus pais" (APDL, p. 49), ou pelo menos que se tenham ouvido a respeito da idoneidade moral da pessoa com que se pretende contrair matrimônio.

Alerta-se também para os riscos que correm os filhos que saem da casa de seus pais: os maus exemplos (associados à falta de doutrina) estimulam as más inclinações para a prática dos vícios. Depois de citar alguns exemplos de santos, o pregador se centra no modelo da Sagrada Família, particularmente nas ternas e doloridas relações entre Jesus e sua mãe:

> Jesus obedecia não só ao castíssimo São José, mas também sua Santíssima Mãe, mas esta dependência em Maria motiva uma dor profunda, visto como sabia perfeitamente quem era aquele que se dignou a ser seu filho. Se por um lado se alegrava dever o seu querido Jesus, satisfeito de estar em sua companhia, exercendo os ofícios mais insignificantes. Por outro lado não podia deixar de ter pena vendo tão abatida aquela Soberana Majestade, diante da qual se prostram os Anjos, os homens e de quem tremem os demônios. Quantos atos de verdadeira humildade não faria a Senhora diante deste Deus de amor, mas quanto lhe custava a necessidade de mandar sobre seu Filho? É assim, pois, como Maria se prostra para com Jesus, em sua vida particular (APDL, p. 55-56).

Tornada, debaixo da cruz, mãe dos homens, na última palavra que seu Filho lhe dirige, Maria lamenta que tantos desprezem o Sangue dele: "Assim, pois, convertam-se com a mais firme disposição da Vossa parte, para merecerem o fruto da Redenção" (APDL, p. 61).

1.1.5. Quinto Mandamento

A exposição sobre o "não matar" é incisiva, constituindo-se num apelo exaltado ao que hoje se chamaria a "não violência":

> Ainda que tal homem fosse vítima de muitas injúrias de seu inimigo, não era motivo suficiente para tirar-lhe a vida, visto ser um dano irreparável: de vendo receber essas injúrias pelo amor de Deus, para imitar o seu exemplo, que sofreu ultrajes no seu maior grau (APDL, p. 62)

Pensa-se, obviamente, na cena de Jesus crucificado, que não pediu a seu Pai que punisse aqueles que o insultavam; pelo contrário, buscou para eles o perdão. Em vez da vingança, a misericórdia, e isso porque, numa expressão que não pode deixar de surpreender, a justiça de Deus "se há mudado em Clemência pela vingança que tenho exercido sobre a carne inocente de Jesus Cristo" (APDL, p. 63). Este, pendente da cruz, deu aos humanos a melhor mostra de que é preciso abandonar a soberba, maior responsável pela cegueira que acaba por impedir a percepção das maravilhas dos mistérios de Deus e pela tentação de se querer reagir à violência fazendo uso dos mesmos instrumentos. Em vez disso,

> aquele [...] que não quer sofrer injúrias por Nosso Senhor Jesus Cristo, cujo exemplo deve imitar, então recorra à lei, para punir aquele que lhe injuriou, porque só assim evitará de tirar a existência do próximo e arrancar tantas lágrimas de uma família (APDL, p. 65-66).

Mas a insistência é na perspectiva da não violência, e o recurso ao "Sermão da montanha" ("Amai a vossos inimigos [...]": Mateus 5,44) confirma a afirmação, feita imediatamente antes, segundo a qual

> o homem não pode pois justificar o seu procedimento acerca de qualquer injúria por mais grave que receba do próximo para puni-lo ainda que seja pelos meios legais, se considerasse profundamente que Deus sofreu tantas afrontas pacientemente, dando-nos assim o exemplo para que fosse imitado (APDL, p. 69).

A prédica se encerra com a confiança reiterada na misericórdia de Deus, cuja grandeza é evidenciada "quando aos pecadores perdoa" (APDL, p. 74).[3]

---

[3] Nessa prédica o Conselheiro recorda Paulo, para quem "vencemos o mal com o bem" (APDL, p. 70). Talvez não seja mero acaso encontrar essa referência aqui, se recordamos que essa expressão se encontra exatamente na última linha da transcrição do Novo Testamento (Romanos 12,21) empreendida e suspensa pelo Conselheiro nas circunstâncias a que já me referi.

1.1.6. Sexto Mandamento

Esta prédica desenvolve com certa extensão o tema da brevidade da vida, perante o que os seus gozos devem mostrar-se como verdadeiramente são, ou seja, efêmeros:

> O homem deve, pois resolver-se definitivamente sobre sua conversão; porque não sabe a hora que a morte o arranque do leito. Onde está aquele homem que gozando tanta saúde, satisfeitíssimo, talvez pela falsa aparência de gozar tanto da vida, a morte o arrebatou a ponto de não poder pronunciar uma só palavra? (APDL, p. 76-77)

Nesse contexto previsível, o Conselheiro expõe mais duramente sua percepção sobre o inferno, aquela eternidade "a qual São Gregório Papa chamou morte, sem morte" (APDL, p. 77). Logo a seguir passa a um exemplo (aliás, marca dessas prédicas é a sugestão desta ou daquela situação ilustrativa), de um arcebispo que, unicamente por sua mancebia, foi precipitado no inferno. Isto porque "o Santo Evangelho" mostra "que nenhuma esperança dá Nosso Senhor Jesus Cristo de usar de sua infinita bondade e misericórdia para aqueles que, deixando a presente vida, permanecerão no escândalo" (APDL, p. 85).

Note-se como o Conselheiro parece tomar o objeto específico do mandamento, ilustrado aqui na mancebia, para ponderações mais gerais sobre a vida e a morte, e o destino após esta. Também aqui se esclarece o conceito de "pecado mortal"; aliás, aqui parece estar a melhor oportunidade para refletir sobre temas afins, como os da culpa e da pena. E conclui-se obviamente com o apelo a que o comportamento imoral seja emendado, antes que seja tarde, e Deus venha descarregar "os raios de sua ira" sobre quem vive "dando expansão a tanta imoralidade" (APDL, p. 85).

1.1.7. Sétimo Mandamento

Aqui, tratando do furto, o Conselheiro não precisa ser genérico; pelo contrário, lista uma série de situações a evidenciar como por esse mundo se cometem furtos e roubos. Furta o negociante, que oculta os defeitos da fazenda, na vara no côvado, no peso, na medida; misturam a bebida com água. Quando o objeto não tem pronta venda, deixa de vender para aproveitar a ocasião da falta, para exigir mais do que pode vender. Aproveita-se da ignorância do vendedor e comprador. O juro excessivo que exige daqueles que estão na precisão. O marido furta da mulher para gastar na taverna, no jogo e outros vícios. A mulher furta do marido, para gastar nos luxos e vaidades. Os filhos furtam coisas de casa. Furta o artista, quando não trabalha com a precisa diligência, assim como furta aquele dono de obras, aproveitando-se da necessidade do operário, não lhe pagando seu trabalho como deve. Furta o vaqueiro, quando não cumpre com o seu dever, assim como também seu amo quando não faz a partilha como deve. Furta o criado e a criada, dizendo que lhe dá pouca soldada. Furta aquele homem, que achando qualquer objeto alheio, não o restitui a seu dono, ou não aplicou sua importância em Missa por sua alma. Também é furto que comete aquele artista, que por exemplo recebeu qualquer objeto concernente a sua arte para fazer uma obra, e faz com menos do que recebeu, e não restituindo o resto a seu dono, não havendo declaração de lhe dar este resto (APDL, p. 93-94).

Ao mesmo tempo que se alarga o alcance do furto, que acaba por ser identificado em várias situações cotidianas que ultrapassam o plano das relações entre indivíduos, avançando para campos que denominaríamos "sociais", e junto à denúncia da impunidade, que "serve de animação aos outros para cometê-lo [o furto]" (APDL, p. 88), o texto recorre ao Evangelho e a exemplos da tradição cristã para apregoar a necessidade da prática inversa, o socorro ao próximo [que "tem direito natural para pedir e ser remediado" (APDL, p. 87)], e insiste no arrependimento efetivo da parte de quem furtou, a ser alcançado pela efetiva restituição do que foi subtraído. Nessa situação se encontrava Zaqueu, "que sendo rico, deu metade de seus bens aos pobres, e naquilo que teve defraudado pagou quadruplicado. E assim alcançou o perdão de seus pecados" (APDL, p. 92-93). Dessa forma vem a tornar-se exemplo inspirador.

1.1.8. Oitavo Mandamento

Referida ao falso testemunho, a prédica do Conselheiro abarca também o murmúrio que, provam-nos os exemplos dos israelitas no deserto (Números 13-14) e dos judeus em Cafarnaum (João 6,41.52s), entre outros, acaba por ser uma forma privilegiada de se comunicarem "calúnias causadas da inveja, que fabricam em ódios dos homens" (APDL, p. 100). Primeiro e mais dramático caso de calúnia e murmuração acabou por acometer Eva no paraíso, como nos é contado numa das narrações mais expressivas e belas do conjunto, que me permito citar, apesar da extensão:

> [...] saindo Eva ao vergel do Paraíso, toda trajada de glória [...], foi estendendo o passeio por entre plantas e flores e muitos vistosos pomos, vendo as cristalinas águas. As árvores lhe faziam verde dócil de esmeraldas, [...] as aves com sonora melodia a festejavam, por cuidarem que era a Aurora que por aquele horizonte vinha subindo; resultando-lhe tudo isto ser uma criatura tão perfeita e bela feita pelas mãos de Deus, competindo nela o assombro com admiração, a gala com a graça, condigna por certo de todo a veneração, pois era uma maravilha que se via naquele alegre Jardim. E vendo o demônio tantas adorações feitas a uma criatura, cheio de raiva e inveja, começou a murmurar com seus sequazes e maquinar uma refinada traição contra Eva, por ver com tantas excelências, entregue a toda a lisonja, e logo supôs que lhe havia de dar ouvidos [...]. E transformando-se numa serpente, porém com boa cara, (que é o que costumam fazer os murmuradores, para melhor encobrirem suas diabólicas tentações), metendo a Eva em conversação, lhe perguntou: por que não comia do fruto da árvore da ciência do Bem e do Mal? [...] E como Adão tanto amasse a Eva, sem reparar no preceito que lhe havia posto Deus, comeu do pomo, e por essa causa se viu logo despido da graça de que Deus o tinha vestido, e foi logo lançado do Paraíso; fazendo-nos a todos ficar sujeitos ao pecado original, expostos a padecer tantos trabalhos e infortúnios (APDL, p. 100-03).

Os murmúrios são responsáveis pela dissolução de honras e vidas; e não só se murmura dos homens, mas também de Deus, de seus desígnios, vontades e determinações. Uma exortação ao silêncio, reforçada por referências de autoridades religiosas, se encerra com uma referência ao inferno, onde "tudo são vozes, gritos, blasfêmias e gemidos tão tristes como lamentáveis" (APDL, p. 107).

1.1.9. Nono Mandamento

O que se esperaria na prédica sobre o sexto mandamento se encontra aqui, quando então se aborda o tema do adultério, prática punida com a morte tanto pela Lei de Moisés como pelas prescrições de inúmeros povos. Contudo é curioso, sintomático mesmo, que sua fala seja dirigida às mulheres casadas, exortando-as a que, "tendo em mira a importância de seu estado", obedeça "obedecendo a seu esposo, relevando as suas faltas com paciência, aconselhando-o com boas expressões, cumprindo com diligência seus deveres; não se deixando vencer por qualquer convite que ocasione uma ofensa contra seu estado" (APDL, p. 108-09). A mulher casada deverá evitar passeios sem a companhia do marido e conversas com pessoas de má reputação. Exemplo a ser evitado: o de Eva, que foi seduzida por Satanás justamente por estar sozinha naquele momento; exemplo positivo: o de Susana, que resistiu à investida que a levaria ao pecado, sendo salva pela intervenção de Daniel. Tais admoestações poderão parecer excessivamente rigorosas; mas não serão vistas assim caso se tenha em conta a salvação das almas.

1.1.10. Décimo Mandamento

Caim, com sua inveja, é o primeiro e dramático exemplo de cobiça do alheio, raiz de todos os males, segundo o apóstolo Paulo. A Escritura registra outros exemplos de inveja que conduziram a insucessos; em todos esses casos se esqueceu de que "a felicidade do homem consiste em conformar-se com a vontade de Deus" (APDL, p. 115). Mais uma oportunidade que permite ao Conselheiro tecer considerações gerais sobre o pecado e a necessidade de se pôr fim a ele, contando-se com o apoio da oração e com o esforço de observância dos mandamentos. O caso de Davi, que "se deixou embelezar de Betsabeia", é bem mostra de como as ocasiões de pecado são proporcionadas pela vista, estimulada por pensamentos inadequados. "Porém David, como era homem de muito claro entendimento, conheceu o erro e logo se arrependeu fazendo penitência e Deus lhe perdoou o seu pecado" (APDL, p. 121).

Até aqui vem a exposição sobre o Decálogo. O rigor dessas páginas não deixa esconder a confiança na misericórdia e no amor de Deus pelos humanos que as perpassa; daí as exortações incisivas que aí se leem. Mas há mais. Temas que permitem a exposição ao mesmo tempo doutrinal e espiritual: os *Apontamentos*... não cuidam apenas da apresentação de ideias, de verdades a serem assumidas, mas da edificação religiosa, em vistas à salvação. É o que se pode notar nas prédicas seguintes.

1.2. "Temas Variados"

As três prédicas que vêm a seguir são estreitamente relacionadas pela temática afim, como se poderá verificar. Mas, de forma mais geral, o conjunto das dez prédicas que vem a seguir forma um conjunto coerente, na medida em que cada uma delas acentua uma faceta daquilo que perpassa os *Apontamentos*..., como seu objetivo: dar-se conta do amor de Deus pelos humanos e corresponder a ele, evitando o pecado, em vistas à salvação eterna, o fim jubiloso a que cada qual deve aspirar.

1.2.1. Sobre a Cruz

Encontram-se aqui algumas das mais expressivas páginas de todos esses *Apontamentos*... A reflexão sobre a cruz tem sentido indicado logo em seu início, com a citação sobre o carregar a cruz como forma adequada de se seguir Jesus: "O homem deve carregar sua Cruz debaixo de qualquer forma que se apresente, deve penetrar-se assim de júbilo, sabendo que, em virtude dela, vai ao Céu. Também deve render as devidas graças ao Senhor por lhe haver feito tão grande benefício" (APDL, p. 121). Para exercitar-se nesse caminho nada mais adequado que meditar sobre a paixão de Jesus na cruz. A seguir o Conselheiro passa a indicar as marcas da cruz, a começar pelo momento da criação do universo, quando logo Deus colocou no céu "uma Cruz, que vulgarmente chamam o Cruzeiro". Daí ter sido venerado, como instrumento da redenção universal, "em todos os tempos: tanto na Lei da Natureza [os patriarcas com ela abençoavam os filhos], como na Lei Escrita [a cruz foi venerada na vara de Moisés, sem contar que estava presente nos inúmeros cruzamentos com que foi tecida a cesta protetora do menino deixado no Nilo], e agora na Lei da Graça pelos Cristãos" (APDL, p. 124).[4] É da cruz que se proporcionou ao Salvador o nome que está acima de todo nome (cf. Filipenses 2,9); ela, que ao mesmo tempo é rejeitada dos inimigos da religião.

Esse louvor da cruz, antes já apontada como expressão do sofrimento e ainda do mistério de um Deus que morre para salvar os humanos, desemboca no apelo para que dela não se fuja:

> Abracemo-nos pois com o Lenho sagrado em que esteve pendente o Salvador do mundo; seja Ele neste desterro nossa consolação, assim como é nossa fortaleza e nossa esperança. Quando, por sua bondade, Deus nos enviar alguma tribulação, digamos com Santo André: "Ó doce Cruz! por mim tão desejada e agora preparada para esta alma que por ela tão ardentemente suspira!" (APDL, p. 131-32).

E da exortação se passa à oração, sentida, quase exaltada:

> Formosa Cruz, mais resplandecente e rica com o sangue do divino Cordeiro que formosos rubis. Tu foste o fim de seus trabalhos, tu o começo de seu repouso, tu a vitória de sua batalha, tu a entrada de sua glória e posse de seu reinado. Tu és a minha herança, que deste Senhor me ficou: adoro-te,

---

[4] Da mesma forma, são três as bênçãos divinas em forma de cruz: "A primeira foi a da Natureza, a segunda a da Graça, e a terceira há de ser no fim do mundo, quando em corpo e alma formos gozar da Bem-Aventurança" (APDL, p. 129).

recebo-te por meu rico tesouro. Ó mais formosa que todas as estrelas, mais forte que todos os exércitos, triunfadora de todos os inimigos. Tu és minha coroa, minha glória, minha riqueza, e minha esperança no tremendo dia do juízo. Amém (APDL, p. 132-33).

Deixemos marcado agora, no entanto, que talvez não se encontre meditação mais reveladora que essa da espiritualidade que permeia os *Apontamentos*... e dos valores que se pretendeu comunicar à gente estabelecida em Belo Monte.

1.2.2. Sobre a Paixão de Nosso Senhor Jesus Cristo

Embora nem de longe mantenha o impressionante vigor que acabamos de notar, a presente prédica se une estreitamente, por sua temática, com a anterior. Talvez se pudesse tomá-la como reflexão ilustrativa da sugestão lá apresentada, de que se fizesse sempre a meditação sobre a paixão do Senhor. É justamente o que se encontra aqui. O brado de Jesus ("Meu Deus, meu Deus, por que me abandonaste?" cf. Marcos 15,34) expressa eloquentemente a situação paradoxal: o coração do Pai tomado de profunda dor, enquanto Satanás podia dispor de toda liberdade, indo além do que fizera a Jó, "para inventar as mais esquisitas torturas" (APDL, p. 135) contra o Filho de Deus, até levá-lo à morte. A contemplação desta cena assim dramática tanto permite a devida percepção da justiça deste Deus que, não tendo poupado seu Filho, não pode poupar o pecador impertinente, como suscita a pergunta quase angustiada, e o consequente apelo:

> É possível que o terno e doce afeto com que Ele [Jesus] vos chama ao arrependimento não prenda e cative o vosso coração? Que ainda não vos inspire horror ao pecado? Que ainda não se penetre de compaixão para com vossa alma? Seja portanto vosso zelo vosso cuidado e a vossa diligência para salvação dela, um dia ir gozar as delícias do Céu, cujo prêmio Deus tem destinado para aquele que sinceramente se converte para Ele (APDL, p. 135-36).

O tom de tal exortação mantém o já encontrado em prédicas anteriores, na medida em que é visto quase como insanidade haver quem não se queira salvar e garantir uma eternidade feliz; e, bem poderia Jesus expressar-se assim: "salvar a quem não quer ser salvo, nem a piedade de meu Pai consente" (APDL, p. 136).

1.2.3. Sobre a Missa

Esta prédica trata de enumerar os lucros que há em "assistir e ouvir Missa todos os dias" (APDL, p. 139): trata-se do maior bem deixado por Deus à Igreja, por fazer transparecer a paixão salvadora de Jesus, cuja contemplação (tema tratado justamente na última prédica) deve conduzir ao amor e ao serviço a Deus. O momento da missa é também privilegiado para elevar a Deus a oração, instrumento eficaz para abater os vícios e alcançar as virtudes. É ainda o que de melhor se pode oferecer em favor das almas do purgatório. E tudo isso porque "neste Sacrifício oferecemos a Deus seu Filho, e Este e seus merecimentos excedem infinitamente a todos bens da fortuna, e da Graça: n'Ele apresentamos ao Padre Eterno o mais e o melhor que lhe podemos dar e sua Divina Majestade nos pode pedir" (APDL, p. 141). Daí as tantas indulgências concedidas pelos papas "a quem devotamente ouve a Missa, ou a diz, ou dar esmola para ela" (APDL, p. 141-42). Termina-se destacando o poder da Missa, capaz de alcançar "para os aflitos alívio, para os tristes consolação, para os atribulados remédios, para os combatidos socorros, para os desconsolados esperança e toda mais paciência, fortaleza, graça" (APDL, p. 143).

1.2.4. Sobre a Justiça de Deus

Esta curta prédica aborda o juízo final, "dia da Justiça, dia tremendo, dia inevitável". O Conselheiro convida a imaginar esse "momento formidável" (APDL, p. 143) em que será declarado a cada qual seu destino eterno. O propósito não é amedrontar, mas fazer despertar "do sono da culpa" e então ingressar "na vereda da vida" (APDL, p. 144). E, fazendo eco a tema já apresentado, encerra-se a exortação com o apelo à renúncia de si mesmo e ao carregar a própria cruz, em vistas à recompensa eterna.

1.2.5. Sobre a Fé

Também pouco extensa, essa prédica considera o que chama "afeições naturais" (APDL, p. 146) santificadas pela religião, a começar pelo amor mútuo, ecoando o "novo mandamento" exposto no quarto Evangelho. Ela será capaz de proporcionar que se suportem com firmeza e sem queixa as variadas aflições, em particular a morte, que deve ser encarada com a esperança de que fala Paulo (1 Tessalonicenses 4,13-18), em passagem recuperada pelo Conselheiro, que acaba por finalizar a reflexão.

1.2.6. Sobre a Paciência nos Trabalhos

Ao contrário do que sugere o título, nessa breve prédica o Conselheiro não exorta especificamente em relação à lida cotidiana, embora ela possa estar incluída em seu horizonte. Trata-se aqui dos fracassos que a vida reserva, das buscas fúteis que acabam sempre por produzir decepções. Seria, então, possível dizer "como Jesus: Meu Deus, meu Deus, por que me desamparaste? E contudo ficaremos em paz no Sofrimento, e nas trevas, até que declinem as sombras e descubramos a aurora de um novo dia. Este estado é o maior exercício de fé" (APDL, p. 148). Assim, o apelo, já encontrado anteriormente, vai na direção do aceite do sofrimento, a exemplo de Jesus, a quem se dirige o olhar e a prece, encerrando o texto:

> Por que não aprendo de vós, meu Divino Mestre, aonde hei de ir buscar o remédio consolação quando me vejo tentado e afligido? Por que busco fora de vós consolação, alegria de minha alma? Quem me a pode dar senão vós? Adoro-te, divina e amorosa mão que castigando consolas, atribulando animas, afligindo alegras, derribando a levantas e matando dás vida (APDL, p. 149).

Como se vê, reiteram-se ênfases já pronunciadas, sobre a dor e o mal, a serem enfrentadas com os olhos postos no Jesus sofredor.

1.2.7. Sobre a Religião

"A religião faz duas coisas: mostra-nos nossa miséria, e indica-nos o remédio para ela, ensina-nos que, de nós mesmos, nada podemos para a salvação, mas que podemos tudo por aquele que nos fortifica" (APDL, p. 150): assim começa esta rápida prédica, inspirada em Paulo (2 Coríntios 12,10-11), que exorta a que se rejeitem as vãs opiniões sobre si mesmo e o orgulho próprio, o que permitirá firmar-se em Deus e dar-lhe o amor devido. Resultado desse procedimento será a paz.

1.2.8. Sobre a Confissão

Esta prédica, bem mais longa que as anteriores, versa sobre um dos sacramentos tidos como indispensáveis à salvação: a confissão. A motivação proposta para essa prática não deixa de surpreender: a utilidade, para o cristão, que é "descer a sua consciência, e escrutar, com saudável severidade, seus tristes esconderijos". Afinal de contas, o pecado original deixa no coração humano suas marcas, daí que neste se encontre "o germe de tudo que é mau" (APDL, p. 153). Portanto, a atitude mais adequada é a do reconhecimento assumido da própria miséria, perante a qual se reconhece a razão de ser do Sacramento da Penitência.

No entanto a prédica se conduz na direção de outro sacramento, a "sagrada comunhão". Na época do Conselheiro, como durante grande tempo, ambos os sacramentos, o da Penitência e o da Eucaristia, eram pensados em conjunto, sendo a aproximação àquele (ao menos uma vez por ano) tido como indispensável para o acesso ao segundo;[5] isso permitirá ao Conselheiro expressões exaltadas e tocantes: a Eucaristia é possibilitada pelo "excesso de amor" de Deus, "prodígio de vossa ternura" (APDL, p. 156). Ao se reconhecer tamanha dádiva, como deixar de recorrer à confissão? "Não abandonem o benefício de Deus, que, movido por tão ardente amor, quis deixar-se a si mesmo aos homens, no Santíssimo Sacramento do Altar" (APDL, p. 157). É o demônio que inspira o afastamento da confissão; urge, portanto, dar-se conta do embuste por ele preparado e tratar de superá-lo.

1.2.9. Sobre a Obediência

O conteúdo dessa prédica, embora apresentado brevemente, é central no quadro da cosmovisão geral do responsável pelos *Apontamentos*..., decisivo para se entenderem inclusive desdobramentos no campo político. A postura

---

[5] Alexandre Otten, op. cit., p. 224.

fundamental é a da obediência aos preceitos divinos, em consonância com o Filho de Deus, que, vindo ao mundo, "se fez obediente até a morte, e morte de Cruz" (APDL, p. 161; veja Filipenses 2,8).

Daí decorrem consequências fundamentais, já que a vida no mundo não é possível sem essa atitude básica de obediência, em âmbitos e níveis distintos; as instituições não sobreviveriam sem ela. Da obediência a Deus deriva a obediência devida ao "poder legítimo", "emanação de sua [de Deus] Onipotência Eterna" (APDL, p. 162). Poderes legítimos, vindos de Deus, são o Pontífice, o Príncipe, o Pai; a obediência a eles torna homens e mulheres verdadeiramente livres.[6] Algumas omissões nesse elenco são eloquentes...

1.2.10. Sobre o Fim do Homem

Trata-se da última prédica (mais uma vez breve) antes daquele conjunto que brota diretamente do texto bíblico, e nela se reencontram temas das explanações anteriores: a pequena duração da vida e suas misérias, quadro esse personificado perfeitamente no drama de Jó, tanto em seu lamento desesperado, maldizendo o dia em que nasceu (Jó 3,3 ss.), quanto em sua afirmação esperançosa quanto à atuação salvadora do Redentor (Jó 19,25-27), que dá novo sentido ao sofrimento: "aquelas dores, antes sem consolação alguma, unidas às do Redentor, não são mais que uma expiação necessária, uma prova da Justiça e de misericórdia, um germe de eterna alegria" (APDL, p. 164).

Encerra-se, assim, a exposição sobre temas vários, após a seção referida aos dez mandamentos. Não terá sido difícil notar alguns temas centrais, em torno dos quais praticamente todas as prédicas giram, orientadas que estão para o alcance da salvação: o sofrimento como dado a ser reconhecido e enfrentado com os olhos postos na cruz de Jesus, que tanto padeceu por amor à humanidade; a frequência aos sacramentos (confissão e comunhão – missa) por conta dos benefícios espirituais que estes comportam. Como o conjunto a respeito dos dez mandamentos, mas à diferença do que vem a seguir estas prédicas são de cunho

---

[6] Nota-se aqui eco da passagem de Romanos 13,1, diante da qual o Conselheiro suspende sua transcrição do Novo Testamento.

marcadamente exortativo, pretendendo interferir na postura com que se enfrentam os dramas da vida, não perdendo de vista o horizonte escatológico.

1.3. "Sequência Bíblica"

Como já dito anteriormente, é minha a denominação de "Sequência Bíblica" para o conjunto de dezesseis prédicas que ora se inicia. Alguma intencionalidade há de existir no fato de que elas se encontrem agrupadas dessa forma, entre as prédicas que focam diretamente a perspectiva da salvação e a seção "Textos", que, como se verá, recolhe fundamentalmente versículos bíblicos. Que objetivos imediatos pretenderá tal conjunto que, iniciado com Adão e Eva no paraíso, encerra-se com ponderações sobre o dilúvio, depois de transitar pela história de Moisés e do Israel libertado do Egito, caminhante no deserto, guiado pelos Juízes e governado por Salomão? E dentro desse conjunto maior, um outro, com as dez meditações centrais, perfaz um enredo completo, indo do aparecimento de Moisés à sucessão dele pelos juízes. No centro de ambos, o que não poderia ser mais adequado: a prédica sobre o Sinai, com a dádiva dos dez mandamentos e a aliança aí selada. Trato de verificar cada uma dessas prédicas em seu conteúdo básico.

1.3.1. Como Adão e Eva Foram Feitos por Deus: O que lhes Sucedeu no Paraíso até que Foram Desterrados Dele por Causa do Pecado

Essa prédica se baseia nos primeiros capítulos do Gênesis, oferecendo um relato bastante detalhado. Adão foi formado fora do paraíso, "no campo Damasceno", próximo a Hebron, por obra da Santíssima Trindade, à imagem e semelhança desta: Deus

> tomou daquela terra limosa, que estava na superfície e daquele embrulhou em forma de Cruz (Aqui teve princípio a Cruz[7]) começou a delinear aquele

---

[7] Recorde-se aqui o que se leu na prédica "Sobre a Cruz", de alguma forma retomado nesta oportunidade: Deus conferirá, pelo sinal da cruz, a bênção à sua criatura (humana) pela

Supremo Autor, ao nosso primeiro Pai, havendo-se então Deus como Estatuário, quando dá princípio a uma estátua, com os braços abertos, e depois de o aperfeiçoar e consumado, ficou uma formosíssima criatura. E assim foi Adão, logo Deus o compôs de quatro humores da composição de quatro elementos, do que necessita a criatura vivente para se conservar, que foram: Terra, Água, Ar e Fogo; dando a Terra a matéria de que foi criado; a Água para a composição da massa; o Ar, o refrigério para respirar, o Fogo para o calor. Consumado assim finalmente o corpo de Adão, lhe inspirou Deus a alma racional (APDL, p. 165-66).

A seguir apresentam-se os "relevantes dotes da natureza" e as "diferentes graças" que adornaram Adão e lhe possibilitaram ao mesmo tempo submeter-se a Deus e dominar seu corpo e todos os animais. A essa altura a sequência da narração é suspensa e se retoma o assunto já familiar relacionando-o com o que está sendo apresentado, em poderosa polarização: "Desta sorte saiu Adão feito das mãos de Deus, a mais bela e perfeita criatura que se viu. E como saiu Jesus Cristo das mãos dos homens quando o puseram na Cruz? Tão dolorosamente morto nela por nossa salvação" (APDL, p. 167).

É então registrada a transferência de Adão ao paraíso, ameno jardim em meio aos grandes rios Ganges, Tigre, Eufrates e Nilo, que o regavam (bem como a toda a terra); cheio de árvores frutíferas, tendo ao centro a árvore da vida e a da ciência do bem e do mal. A seguir descreve-se a criação de Eva, dada a Adão em matrimônio. Abençoados, é-lhes recomendado que se multipliquem, governem os animais e se sustentem, privando-se apenas da árvore do bem e do mal, para não morrerem; se assim procedessem viveriam em plena felicidade, sendo oportunamente transportados ao céu para viverem junto aos anjos diante de Deus:

Porém Adão constituído em todas estas honras não guardou o preceito de Deus, porque comeu do fruto proibido que lhe deu Eva, a qual tinha

---

segunda vez depois de terminada sua criação, ao infundir-lhe a graça, e mais tarde Adão e Eva receberão o mesmo sinal de bênção.

dito o demônio, transformado em serpente, que, comendo-o, eles serão como Deus. Comeram finalmente do fruto da árvore vedada, primeiro Eva depois Adão e desta sorte se fizeram a si e a todos os seus descendentes sujeitos não só ao pecado, que é a morte da alma, mas também a várias calamidades do corpo, e à morte corporal, e condenação eterna, e por esta razão se chama este pecado de nossos primeiros Pais, pecado original (APDL, p. 170-71).

Descrevem-se a seguir as implicações decorrentes do gesto de Adão e Eva, na esteira do que se lê no Gênesis. Expulso do paraíso, o primeiro casal humano é levado por Deus para a Judeia, sendo-lhe vedada a possibilidade de retorno. Mas, curiosamente, a prédica não se encerra com o acento na condição humana tornada precária por conta da expulsão do paraíso; pelo contrário, retoma o matrimônio ali realizado (pois não foi a Adão solteiro que Deus deu a ordem para a multiplicação da espécie!). Assistido "do mais Perfeito Pároco, que foi Deus, Padre Eterno"; com testemunhas únicas que foram os anjos (APDL, p. 173), o casamento de Adão e Eva, com todas as cerimônias que a situação previa, é imitado pela Igreja Católica em seus ritos.

1.3.2. O Profeta Jonas

A presente reflexão segue muito de perto o livro bíblico que leva o nome do profeta cuja trajetória é narrada. Jonas, chamado por Deus para pregar a penitência na cidade idolátrica de Nínive, capital do império assírio, foge da incumbência, tomando um navio na direção da Espanha. Uma tempestade assola o barco, e os marinheiros não demorarão a descobrir o responsável por aquela situação. Lançado ao mar, Jonas é engolido por um peixe, que, após três dias, por ordem de Deus, o vomita na praia. O profeta, finalmente, decide cumprir a missão que lhe fora atribuída, mas se precipita a anunciar a destruição da cidade, algo de que Deus se arrependeu ao ver o arrependimento de seus habitantes. A narração, assim como o livro bíblico, se encerra com a censura de Deus diante de Jonas inconformado com a não destruição da cidade.

Apenas em um momento a prédica se afasta da narração do livro profético, isso porque no Novo Testamento o fato de Jonas ter ficado por três dias no ventre do peixe é entendido como prefiguração da estada de Jesus no ventre da terra por esse mesmo período (Mateus 12,40). Essa maneira de articular realidades do Antigo Testamento com outras do Novo e da vida da Igreja cristã é uma das tônicas marcadas da presença da Bíblia nos *Apontamentos*... Aqui apenas a destacamos, pois será preciso voltar à discussão dela, de forma mais pormenorizada, no momento oportuno.

1.3.3. Paciência de Jó

Não é a primeira vez que aparece, no caderno que estamos comentando, a figura de Jó. Aqui, porém, a atenção é um pouco mais detida, em especial nos primeiros capítulos do livro bíblico que leva seu nome, onde se narra como Satanás consegue de Deus a licença para atormentar Jó, homem temente a Deus e muito rico, destruindo-lhe as propriedades, matando-lhe filhos e servos. A seguir é atacado por horrorosa lepra, sendo ridicularizado pela própria mulher enquanto raspa com cacos o pus que escorre de suas chagas. A resignação de Jó é exemplar, e se converte em protesto apenas quando seus amigos o acusaram de cometer iniquidades, que seriam responsáveis por tantos infortúnios que está sofrendo. Ao reiterar sua confiança em Deus, brevemente Jó se vê recompensado, com a restituição, em dobro, de tudo o que possuía, tendo um resto de vida longo e feliz.

Dessa história são extraídos dois ensinamentos, expressos de forma direta, de maneira a encerrar a prédica:

> Jó é uma figura do Divino paciente Jesus Cristo, o qual por nossos pecados foi coberto de chagas desde a planta dos pés até o alto da cabeça, e até dos amigos foi desprezado como homem carregado de iniquidades. Vemos pela história de Jó, onde chega às vezes, por missão de Deus, o poder do demônio, e daí podemos colher a importância das bênçãos e consagrações usadas pela Igreja (APDL, p. 183-84).

Remete-se, portanto, uma vez mais, à cena do sofrimento de Jesus em sua paixão, agora prefigurada no drama de Jó, e alerta-se a respeito do desafio maior da vida cristã: resistir ao demônio, para o que é indispensável a mediação da Igreja, com os benefícios que ela tem a oferecer.

1.3.4. "De Moisés aos Juízes"

Como dizia acima, entendo que as dez prédicas seguintes formam um conjunto no interior do que denominei "Sequência Bíblica". A primeira delas, que bem serve de abertura, refere-se ao chamado de Deus a Moisés para livrar o povo hebreu do jugo do faraó do Egito (Êxodo 3). Na prédica seguinte são relatadas as pragas lançadas sobre o mesmo Egito (Êxodo 7-10). A terceira registra a última praga, a morte dos primogênitos egípcios, ocorrida enquanto os israelitas celebravam a festa do cordeiro pascal e estavam para alcançar a liberdade esperada (Êxodo 11-12). A quarta prédica deste conjunto descreve a travessia do Mar Vermelho feita pelo povo hebreu em fuga do Egito (Êxodo 14). A seguir se fala dos alimentos que, segundo os relatos bíblicos, sustentaram o povo no percurso pelo deserto (Êxodo 16-18). Logo depois lemos uma prédica sobre os mandamentos entregues por Deus a Moisés no monte Sinai, e o sacrifício oferecido como sinal da aliança aí constituída (Êxodo 19-24). A próxima prédica versa sobre o episódio do bezerro de ouro (Êxodo 32), em que se destaca a violência de Moisés matando os infiéis e o perdão conseguido de Deus. Após ela são descritas as inúmeras regras relativas ao culto (Êxodo 25-40). A penúltima prédica deste conjunto trata dos derradeiros momentos de Moisés, com a admoestação aí dada e sua morte (Deuteronômio 34). E afinal trata dos juízes, os "libertadores que Deus lhe [ao povo de Israel] mandou durante esse tempo" após o ingresso na terra prometida.

Como se vê, trata-se de um enredo completo, estruturado a partir da história da liderança de Moisés, que expõe o momento fundante da trajetória do povo de Israel. Mas não é só. Em quase todas as prédicas o Conselheiro propõe, como já visto em prédicas anteriores, que os eventos que está narrando prefiguram realidades do Novo Testamento e da vida "no tempo da graça". Trato de constatá-lo para, mais adiante, buscar as razões e a compreensão de tal procedimento.

1.3.4.1. Vocação de Moisés

Nesta prédica, que trata apenas de sintetizar o conteúdo que se lê em Êxodo 3-4 (portanto, sem indicações em termos de prefiguração, em vista a realidades futuras), o Conselheiro apresenta a figura de Moisés, já com seus quarenta anos, e recorde que, por tomar a defesa de seus irmãos oprimidos no Egito, teve que fugir do faraó que queria matá-lo. Expõe então a cena da "sarça ardente", momento em que Moisés é convocado por Deus para conduzir os filhos de Israel a "uma terra boa espaçosa, onde corre Leite e Mel" (APDL, p. 186; cf. Êxodo 3,8). Diante da resistência de Moisés a aceitar a incumbência, alegando dificuldades no falar, Deus encarrega Arão, seu irmão, de entrar em tratativas com o faraó. E para ganhar a confiança de Israel, Arão faz diante dele um milagre.

1.3.4.2. As Dez Pragas do Egito

Em estreita continuidade com a anterior, a prédica se inicia com a ida de Moisés e Arão ao faraó. Diante da recusa deste em libertar Israel, e de sua decisão de oprimi-lo com trabalhos ainda mais pesados, Arão converte sua vara numa cobra, deixando-o pasmo, mas irredutível em sua decisão anterior. "Então mandou o Senhor dez pragas sobre Faraó e todo povo do Egito" (algumas delas aparecem mencionadas), sem que o soberano se demovesse de sua posição. "Afinal caiu sobre ele a última praga, de todas a mais tremenda" (APDL, p. 189): anuncia-se assim um dos temas da prédica seguinte. Como se vê, o que temos aqui é uma rápida síntese do que se lê em Êxodo 5-10 e serve de preparação para o que vem a seguir.

1.3.4.3. Morte dos Primogênitos, Cordeiro Pascoal, Saída do Egito

Narra-se aqui como é instituída a festa da Páscoa: o cordeiro sem mancha é consumido (junto aos pães ázimos), com seu sangue as portas das casas dos filhos de Israel são aspergidas, e assim são protegidas da ação destruidora do anjo do Senhor, que matou todos os primogênitos do Egito. O que suscitou clamor generalizado entre os súditos do faraó, e este finalmente permitiu a saída dos israelitas daquela terra, junto a seus rebanhos e aos restos mortais do antepassado José. Até aqui, como se vê, um resumo do que se lê em Êxodo 11-12. Mas ao final se lê sobre uma associação do cordeiro pascal ao cordeiro de Deus, ambos imolados; dos pães ázimos ao santíssimo sacramento; da libertação dos israelitas frente ao faraó àquela frente à escravidão do demônio. Haverá um motivo para que a partir dessa meditação se formulem comentários da mesma ordem? Será preciso verificar essa questão mais adiante.

1.3.4.4. Passagem do Mar Vermelho

Narra-se aqui o início do caminho dos israelitas saindo do Egito, com a espetacular travessia do Mar Vermelho, numa síntese da narração encontrada em Êxodo 13,17-14,31. A proteção de Deus no trajeto se mostrou na forma de uma nuvem, à noite substituída por uma coluna de fogo. Os egípcios perseguem os israelitas, pois o faraó se arrependeu de libertar estes últimos, o que levou Moisés a estender a mão sobre as águas do mar, e estas se abriram para que o povo pudesse passar. Os egípcios decidem persegui-lo, mas acabam por ser atingidos pelas águas que se juntaram novamente, afogando-se com seus cavalos. A conclusão da prédica vê nessa trajetória grandiosa uma prévia da realidade e das possibilidades abertas no presente: a coluna de nuvens e fogo aponta para Jesus Cristo, e a passagem pelo mar indica o sacramento do batismo. Realidades da prática religiosa católica prenunciadas no caminho liderado por Moisés.

1.3.4.5. Codornizes, Maná e a Água no Deserto

Essa prédica narra como os israelitas, após murmurarem recordando-se do que tinham para comer no Egito, foram milagrosamente alimentados, por favor de Deus, durante o caminho no deserto (Êxodo 16-17). São oferecidos ao povo codornizes e maná, e deste se diz que alimentou os israelitas durante os quarenta anos de sua travessia pelo deserto. Já a sede do povo é saciada com a água que brota do rochedo do Horeb, tocado pela vara de Moisés. Todas essas dádivas divinas, contudo, devem ser vistas em horizonte mais amplo, já que apontam para o sacramento da eucaristia, e mais: todas as graças advindas de todos os sacramentos disponibilizados pelos sacerdotes católicos.

1.3.4.6. Os Dez Mandamentos, Aliança de Deus com Israel

Trata-se de uma prédica diferenciada, já que seu conteúdo está centrado nos mandamentos que mereceram longos comentários nas primeiras páginas dos *Apontamentos*... Mas, diferentemente do que ali se lia, o primeiro dos mandamentos aparece aqui numa formulação derivada de Êxodo 20,1-4: "Eu sou o Senhor teu Deus, não terás Deuses estranhos em minha presença; não farás imagem esculpida para adorá-la" (APDL, p. 200).

A lista dos dez mandamentos é apresentada em meio ao contato estabelecido entre Deus e Moisés no monte Sinai, oportunidade em que é oferecida uma aliança ao povo, que a acata. Um sacrifício animal oferecido por Moisés, com o sangue aspergido sobre o povo, selou tal aceitação. Essa aliança aponta na direção de outra, aquela estabelecida no Calvário pelo sangue de Jesus derramado na cruz.

1.3.4.7. O Bezerro de Ouro

Nessa prédica, que se atém exclusivamente a narrar um episódio bíblico e serve de transição entre as determinações legais apresentadas nas prédicas circundantes, registra-se o incidente da confecção, por Arão, de um bezerro de ouro, enquanto Moisés recebia, no monte Sinai, as duas tábuas de pedra contendo os dez mandamentos. Os israelitas prostraram-se diante da estátua desse bezerro e Moisés, ao descer do monte, quebra as referidas tábuas, num acesso de ira, destrói o ídolo e ordena a eliminação de milhares de idólatras. Isso realizado, Moisés retorna ao monte, recebe de Deus outras tábuas com os mandamentos gravados. Em seu retorno Moisés tinha o rosto resplandecente, o que o tornava invisível aos israelitas (Êxodo 32-34).

1.3.4.8. Leis do Culto Divino

Esta prédica, bem mais extensa (e não é difícil notar sua importância), trata dos demais preceitos dados por Deus ao povo por intermédio de Moisés, particularmente aqueles referidos às práticas cultuais (os dados aqui recolhidos derivam fundamentalmente de Êxodo 25-40). A começar do tabernáculo, cuja construção é encaminhada por Moisés, dividido internamente em duas partes desiguais: o Santo dos Santos (a menor) e o Santuário (a maior). Naquele foi depositada a Arca da Aliança, uma espécie de cofre contendo em seu interior as tábuas da lei. Já no Santuário encontravam-se a mesa dos pães da proposição, o candeeiro dourado, com sete bicos, e o altar dos perfumes. Ao redor do tabernáculo foi construído um adro em cujo recinto se encontrava o Altar dos holocaustos, e uma bacia de bronze para os sacerdotes lavarem mãos e pés antes das cerimônias.

Em seguida são apresentados os sacrifícios a serem oferecidos, bem como as quatro festas fundamentais do calendário religioso judaico (Páscoa, Pentecostes, Tabernáculos e Expiação), com suas características peculiares. Depois se expõe a hierarquia dos ministros judeus do culto (sumo sacerdote, sacerdotes e levitas). O antigo culto judaico, com sua organização, arquitetura, festividades e hierarquia, permite, também ele, vislumbrar realidades que haveriam de se concretizar posteriormente: pois que remete aos elementos constitutivos do culto cristão católico.

1.3.4.9. *Derradeira Admoestação de Moisés, sua Morte*

Em termos da narrativa bíblica somos deslocados ao livro do Deuteronômio, ao fim da vida de Moisés, quando este transmite suas últimas recomendações e é substituído por Josué na liderança sobre o povo. Moisés recomenda que a aliança com Deus não seja esquecida, apela ao amor incondicional a Deus e à recordação de todos os benefícios que dele provêm. Feita essa exortação, Moisés anuncia a vinda, no futuro, de um profeta como ele, que da mesma forma deverá ser ouvido (cf. Deuteronômio 18,15). O Conselheiro não tem dúvidas em concluir sua prédica identificando nesse "Profeta prometido" a pessoa de Jesus Cristo, isto depois de ter narrado a morte de Moisés e o consequente pranto dos israelitas (APDL, p. 213).[8]

---

[8] Para o Conselheiro a morte de Moisés se dá "em grande paz" e sossego (APDL, p. 212); assim desconsidera o dado segundo o qual Moisés não entrou na terra de Canaã por desobediência anterior a Deus.

1.3.4.10. Os Juízes

A se seguir o relato bíblico deveríamos encontrar aqui uma prédica sobre Josué e sua liderança sobre Israel no processo de conquista e ocupação da terra de Canaã, mas não é isso que ocorre. Efetivamente Josué foi mencionado na prédica anterior como sucessor de Moisés, e então logo se passa à etapa seguinte, acentuando que os israelitas, instalados na "formosa terra que [o Senhor] lhes dera" (APDL, p. 214), não lhe manifestaram a devida gratidão, tendo cedido à idolatria. Permitiu então Deus que fossem entregues a inimigos e escravizados, para que assim se convertessem. Ocorrido isso, Deus suscitou heróis, chamados juízes, para salvar Israel. Esse processo se repetiu várias vezes num período de quatrocentos anos, de sorte que foram muitos os juízes que nesse tempo lideraram Israel. Entre eles o Conselheiro destaca Sansão com suas façanhas extraordinárias contra os filisteus, e principalmente Gedeão, que com algumas centenas de israelitas desbaratou, por obra do Senhor, milhares de madianitas.

É oferecida, então, uma síntese do conteúdo que se lê no livro bíblico dos Juízes. Mas não é só. Para o Conselheiro os juízes, libertadores de Deus, foram catorze, na medida em que são incluídos Eli e Samuel, cujas trajetórias são narradas no Primeiro livro dos Reis (de acordo com a nomenclatura da Vulgata, o texto bíblico conhecido do Conselheiro[9]). Contudo o fato de que, no livro dos Juízes propriamente, eles sejam doze, responsáveis por "tanta gentileza e tão gloriosas façanhas com as forças de Deus" (APDL, p. 216) para vencer a idolatria, permite ao Conselheiro ampliar o horizonte e estabelecer o paralelo com as figuras dos doze apóstolos.

---

[9] Por Vulgata (do latim, [edição] divulgada) entende-se o texto latino da Bíblia atribuído ao intelectual cristão Jerônimo, que o teria traduzido do hebraico, aramaico e grego. Definido pela Igreja Católica, no século XVI, como seu texto oficial, veio a ser traduzido para o português duzentos anos mais tarde. No tempo do Conselheiro circulavam algumas edições da Vulgata, umas bilíngues, outras portando apenas o texto em português. Alguns nomes dos livros bíblicos na Vulgata são distintos daqueles encontrados em outras edições: quatro livros dos Reis (em vez de dois de Samuel e outros dois de Reis, Paralipômenos em vez de Crônicas).

Encerra-se, assim, o conjunto das dez prédicas que vão da vocação de Moisés à liderança dos Juízes sobre Israel, cobrindo um itinerário que, na Bíblia, ocupa os livros do Êxodo, Levítico, Números, Deuteronômio, Josué e Juízes. Três delas (as duas primeiras, que servem de ambientação, e outra, que serve de transição) se ocupam apenas das narrações bíblicas correspondentes, tratando de resumi-las. Mas as demais apontam explicitamente para elementos fundantes da doutrina cristã e para sentidos básicos das cerimônias e sacramentos católicos.

Mas ainda não chegamos ao fim dos *Apontamentos*..., nem mesmo da "Sequência Bíblica". As páginas seguintes nos reservam ainda outras prédicas e uma seção peculiar, que enriquecerão o conjunto de ensinamentos que estou tratando de compreender.

1.3.5. Construção e Edificação do Templo de Salomão

Em relação às prédicas anteriores, de teor basicamente bíblico, ocorre efetivamente um salto temporal até chegarmos a Salomão, rei que favorece a religião de forma evidente, ao ordenar o levantamento do templo de Jerusalém. Baseada nas narrações bíblicas a respeito, a presente exposição é organizada em três momentos distintos, mais uma rápida aplicação. O primeiro deles apresenta a construção propriamente dita, mostrando quantas pessoas foram envolvidas nos trabalhos, as medidas da obra, os materiais utilizados em todas as atividades. A seguir se descreve a solenidade da consagração ("edificação") do templo, destacando os sacrifícios oferecidos, os instrumentos musicais tocados pelos levitas e sacerdotes, acompanhando o cântico entoado por todos: "Bendizei ao Senhor, porque é bom e sua misericórdia é eterna" (APDL, p. 218-19; cf. 2 Paralipômenos 5,13). A cerimônia se encerra com a prostração geral do povo e a adoração ao Senhor.

Num terceiro momento se narra como, passada a consagração, o Senhor aparece a Salomão garantindo ouvir as preces de todos os que forem visitar aquele local sagrado. A conclusão vincula o Templo de Salomão ao passado, mas principalmente ao futuro, apontando para as igrejas atuais.

1.3.6. O Dilúvio

O que aqui se apresenta não é outra coisa que a narração do referido evento, seguindo muito de perto, embora de forma resumida, o que se lê em Gênesis 6,5-8,19. A perspectiva geral é dada pelo comentário inicial, que acaba por resumir todo o enredo: "Deus ameaça com o dilúvio aos homens, a quem as advertências e admoestações não tinham corrigido. Depois de haver esperado muito tempo por sua conversão, põe em execução suas ameaças. Salvam-se Noé e sua família, porque não 'participavam da corrupção geral'" (APDL, p. 222) daquele tempo. Descreve-se com detalhes a construção da arca, durante cem anos, tempo em que os pecadores eram avisados do perigo que os ameaçava:

> A longanimidade de Deus, deu-lhes todo este tempo para que fizessem penitência, porém eles fecharam os ouvidos às admoestações de Noé e davam-se a toda sorte de divertimento e devassidões, comendo, e bebendo e folgando como se nada fosse com eles, até que foram todos abismados no dilúvio (APDL, p. 224).[10]

Segue-se a narração, que se encerrará, nessa prédica, com a saída de Noé da arca, após um ano.

1.3.7. Reflexões

Esta prédica se situa em continuidade com a anterior, iniciando-se com uma reflexão e continuando com a sequência da narração, onde ela fora interrompida naquela exposição. O dilúvio é visto como um "terrível exemplo da justiça de Deus" e, ao mesmo tempo, um "testemunho de misericórdia e de paciência" (APDL, p. 228). Ele é mostra de que a misericórdia de Deus tem um termo, cedendo lugar a sua justiça:

> Pensam com razão alguns Padres e expositores, que Noé gastou cem anos a fabricar a Arca, para dar tempo aos homens de se arrependerem, e que até

---

[10] Esse tópico da narração se baseia em Mateus 24,38-39a.

a última hora esperava com a porta aberta para recolher os que arrependidos se quisessem salvar, e foi depois Deus quem a fechou por fora quando se viu obrigado a punir a incredulidade, corrupção de todos os homens. Assim mesmo ainda usou de bondade, porque, podendo n'um instante inundar toda a terra e abismar seus habitantes quis que as águas fossem crescendo pouco a pouco, para que à proporção que o medo da morte ia aumentando, se fossem os homens se arrependendo de suas maldades e pedissem perdão a Deus (APDL, p. 229-30).

E, apoiando-se no que se diz em 1 Pedro 3,20, o texto sugere que houve quem se salvasse, além da família de Noé. Depois de tais considerações a narração é retomada, seguindo muito de perto Gênesis 8,20-9,29. Ressalta o sacrifício que Noé ofereceu a Deus tão logo saiu da arca, a garantia que Deus dá de não mais punir a humanidade com o dilúvio, a despeito da maldade desta, a bênção a Noé acompanhada de algumas prescrições, bem como a indicação de "meu Arco nas Nuvens" como "sinal do concerto que subsisto entre mim e a terra" (APDL, p. 233). Ao fim temos o episódio de Cam, filho de Noé, que, tendo visto seu pai nu, não lhe cobriu a nudez, ao contrário do que fizeram os outros dois filhos do patriarca, Sem e Jafé. Isto leva à maldição de Canaã, filho de Cam, que deverá ser "escravo dos escravos de seus irmãos" (APDL, p. 234; veja Gênesis 9,25-27). Depois disso apenas a notícia da morte de Noé, 350 anos após o dilúvio, com a idade de 950 anos.

Com essa prédica se encerra aquilo que denominei "Sequência Bíblica". Não adiantarei aqui outros comentários sobre esse conjunto bem concatenado, pois a ele devo retornar, oportunamente, quando fizer a pergunta sobre as formas e os sentidos da presença da Bíblia nos *Apontamentos...* Saliento apenas que, à diferença das prédicas anteriores, as que compõem este conjunto não acentuam o exortativo, mas principalmente a edificação religiosa, fornecendo dados constitutivos do universo imaginário religioso que embasa, enquadra e dá sentido ao conteúdo dos *Apontamentos...*, e não só a eles...

1.4. Textos

Temos aqui algo inusitado em relação ao que se vinha considerando: não uma nova prédica, mas fundamentalmente uma coletânea de passagens bíblicas, apresentadas às vezes a partir do texto latino com sua tradução (ou uma paráfrase) ao português. Não é possível apresentá-la em todos os seus pormenores, mas trato de identificar nela alguns princípios que caracterizam o conjunto e o espírito dos *Apontamentos*... A transcrição dos versículos (às vezes em latim e português, ou apenas numa das duas línguas) não parece obedecer a uma sequência temática, o que se nota pela ordem em que eles aparecem, ou pela distribuição dos parágrafos no interior do conjunto. Isso se deve principalmente a uma visão integrada construída pelo redator do caderno, no qual os diversos assuntos se articulam.[11] Por outro lado, note-se que grande parte de tais passagens bíblicas já foi citada em meditações anteriores, o que reforça a percepção de que elas sejam reveladoras privilegiadas dos temas e das perspectivas do modo de ver as coisas próprio daquele que assina os *Apontamentos*...

Efetivamente os versículos bíblicos aqui encontrados e os rápidos comentários que por vezes se seguem a eles (junto a uma ou outra citação de um santo) parecem indicar algumas preocupações. Primeiramente predomina o empenho em mostrar o amor de Deus, de Jesus, pela humanidade. Assim, logo após a primeira citação, Lucas 1,28 (o v. 35 também é transcrito, mas não indicado) que apresenta o anjo anunciando a Maria que ela será mãe do filho de Deus, o comentarista acrescenta: "Grande desejo que Jesus teve de sofrer e morrer por nosso amor" (APDL, p. 236). E recorre ao teólogo João Crisóstomo para confirmar a dádiva grandiosa que o Pai oferece à humanidade: "Não é um servo, não é um Anjo, é o próprio Filho, que ele nos deu" (APDL, p. 239).

Sobre a afirmação de Jesus, de que tinha vindo trazer fogo à terra (Lucas 12,49), o comentário é o seguinte: "Que tinha vindo à terra para trazer às almas o fogo do Divino amor, e que não tinha outro desejo senão de ver

---

[11] Aqui me permito reproduzir, com retoques, o que expus em minha tese de doutorado, recentemente publicada: *O Belo Monte de Antonio Conselheiro: Uma Invenção "Biblada"*. Maceió, Edufal, 2015, p. 202-05.

esta Santa chama acender em todos os corações dos homens" (APDL, p. 236). Mais adiante o convite é inspirado por Isaías 12 (v. 4), numa recriação que ressalta a amorosidade divina: "ide publicar por toda parte as invenções do amor de Nosso Deus para se fazer amar dos homens" (APDL, p. 242). A visão otimista se reforça com a aparição de um versículo, já encontrado anteriormente: "O Apóstolo diz aos Romanos: Não foi tão grande o pecado com o benefício, onde o pecado abundou, superabundou a graça" (APDL, p. 238-39; a passagem citada é Romanos 5,20).

O amor de Deus será adequadamente correspondido pela observância dos mandamentos; é o que lembra a última citação do conjunto, João 14,21: "Aquele, que tem os meus Mandamentos e que os guarda: esse é o que me ama. E aquele que me ama será amado de meu Pai e eu o amarei também, e me manifestarei a ele" (APDL, p. 247). Essa passagem é entendida em perspectiva escatológica, como se vê na passagem evangélica que a segue como se fosse seu comentário: "Porque o Filho do homem há de vir na glória de seu Pai com os seus Anjos: e então dará a cada um a paga, segundo as suas obras" (APDL, p. 247, citando Mateus 16,28). Nesse contexto cabem as únicas referências "ameaçadoras" do conjunto: "[Eu] Vos chamei, não me ouvistes, eu também em vossa morte rir-me-ei de vós" (APDL, p. 239, recorrendo a Provérbios 1,24--26). E João 3,36: "O que crê no Filho tem a vida eterna, e o que, porém, não crê no Filho não verá a vida, mas permanece sobre ele a ira de Deus" (APDL, p. 245). Também aqui se situa a promessa de Mateus 10,32 (33) de que o Filho confessará (ou não) diante do Pai aquele que o confessar (ou não) diante dos homens (APDL, p. 243).

Aspecto destacado nessa proclamação do amor de Deus pela humanidade é a descrição dos sofrimentos pelos quais passou Jesus, um dos temas marcantes desses textos todos. Registram-se uma e outra passagem evangélica a respeito (por exemplo, Mateus 26,39), mas principalmente outras dos profetas e dos salmos que a tradição cristã associou a esse momento único (Isaías 50,6; 53,12; Salmo 21,7; Lamentações 1,12). Sem maiores comentários, pois os textos falam por si. A morte do Filho de Deus é entendida segundo João 15,13, citado em latim e numa tradução livre: "E que maior sinal de amor, diz o mesmo

Salvador, pode dar um amigo ao seu amigo, que sacrificar a sua vida por ele?" (APDL, p. 237-38) Mais adiante temos a seguinte consideração:

> Enfim o nosso amável Salvador, depois de haver encomendado Sua Santa Alma ao Eterno Pai, deu um grande brado, depois inclinando a cabeça em sinal de obediência. E oferecendo sua morte pela salvação dos homens, expira a violência da sua dor, e entrega a Alma nas mãos de seu Pai, bem amado! (APDL, p. 241)

Decorrência desse processo vivido pelo Filho de Deus é o que aguarda quem lhe quiser ser fiel: tomar a cruz, pois ele sofreu para que sigamos seus passos. O texto articula Mateus 16,24: "Se alguém quer vir após mim, negue--se a si mesmo, e tome a sua Cruz e siga-me", e 1 Pedro 2,21: "Jesus Cristo sofreu por nós, deixando-vos o seu exemplo para que sigais os seus vestígios" (APDL, p. 236-37). Delineia-se, assim, o perfil do itinerário cristão: obediência aos mandamentos e aceitação do sofrimento como imitação de Jesus.

Mas esse desenho vertical tem sua contrapartida. As passagens bíblicas relativas ao amor de Deus e de seu Filho pela humanidade e sua retribuição se mesclam àquelas que tematizam o amor que os fiéis deverão ter uns para com os outros. Esta é outra tônica da seleção de versículos bíblicos nessa parte do manuscrito. Por isso cabe aí a referência ao duplo mandamento, a Deus e ao próximo, incluídos aí os inimigos, conforme pede Mateus 5,44 (APDL, p. 239).

Uma citação ressalta o lugar privilegiado que os *Apontamentos*... atribuem à Igreja Católica: Mateus 16,18, a garantir a consistência desta e a lhe exigir a adesão: "Tu és Pedro e sobre esta pedra edificarei a minha Igreja, e as portas do inferno não prevalecerão contra Ela" (APDL, p. 240).

Percebe-se então, no todo, que as citações bíblicas recolhidas configuram um quadro coerente com o que se lê no todo dos *Apontamentos*... O amor de Deus pela humanidade solicita dela retribuição em dupla direção: amor a Deus e ao próximo. Esse marco fundamental determina as inserções na realidade presente (o olhar sobre a sociedade), as motivações do agir e as expectativas do porvir escatológico. Será preciso articular o quadro daí decorrente com os dados básicos comunicados pelo conjunto de prédicas. Mas há ainda uma última meditação a ser considerada.

1.5. Reflexão Final

No índice dos *Apontamentos...* esta última prédica é intitulada "O pecado de todos os homens", enquanto aqui ela é chamada "Sobre pecados dos homens". Seja como for, nela se afirma a conexão entre o pecado e o sofrimento inevitável a todos. Mas este, assumido em sintonia com as tão salientadas dores do Salvador na cruz, "cura a alma e restabelece-a no estado primitivo da inocência" (APDL, p. 248). Retoma-se o tema do assumir a própria cruz e do resistir aos desejos e apetites. Assim, há que ansiar pela purificação e libertação frente a este mundo. Só nessa sintonia com Deus e no empenho de cumprir "o sacrifício de justiça" é que se pode adormecer (em seu duplo sentido!) em paz.

2. ENTRE O AMOR E O PECADO: UMA VISÃO DO CONJUNTO

Sem que o foco principal seja a questão da originalidade das prédicas até aqui comentadas e por que caminhos tantos elementos da tradição católica, a começar da Bíblia, vieram a compor os *Apontamentos...*, tratamos de verificar, ainda que de forma sumária, a visão de mundo que deles se depreende. É óbvio que não cabe pedir ao responsável por essas páginas que forneça aí um sistema teológico completo e coeso, já que este não estava no horizonte de suas intenções. No entanto não é difícil notar algumas ideias recorrentes, algumas percepções acentuadas, uma tonalidade que permeia o conjunto. Busco então caracterizar o que aqui denomino "o olhar do Conselheiro", que se depreende das mais de duzentas páginas redigidas por ele ou sob sua direção.

2.1. O Amor de Deus

Surpreende que, ao abrir os *Apontamentos...* com a prédica sobre o primeiro mandamento, aquele referido ao amor a Deus, o texto inverta radicalmente a perspectiva, destacando o amor de Deus pela humanidade. Trata-se de um eixo do conjunto. Poder-se-ia dizer que estaríamos diante de uma chave de leitura para todo ele. A rebuscada e significativa expressão "invenções do amor de nosso Deus para se fazer amar dos homens" dá conta de mostrar uma faceta decisiva a orientar o conjunto das prédicas, particularmente porque ela se confronta com outra (mas ao mesmo tempo ambas se articulam bem), que comentaremos a seguir, uma percepção bastante aguda da miséria humana.

A percepção da amorosidade extrema de Deus faz a única resposta humana adequada ser a do amor a Deus, eis o que se diz na mesma prédica, sobre o primeiro mandamento. Toda manifestação que não ecoe essa resposta é incompreensível; daí a necessidade das exortações e mesmo da ação daquele que, no fim das contas, assume o conjunto dos *Apontamentos...*

2.2. O Pecado: Realidade e Esconderijos

A primeira contribuição indispensável da religião, diz a prédica consagrada a ela, é evidenciar a miséria humana; as páginas dos *Apontamentos...* não temem salientá-la. De forma relacionada ao seu início, o caderno se encerra com a prédica sobre "o pecado de todos os homens" (como se lê no índice). E, como dizia acima, entendo ser preciso perceber que ambos os reconhecimentos, o da grandeza incomparável do amor de Deus e o da fragilidade humana insofismável, não se eliminam mutuamente; pelo contrário, sustentam o conjunto das prédicas e a visão religiosa que por elas se expressa.

A realidade do pecado é inescapável, é preciso ter consciência dele e acusá-lo. A condição humana é marcada decisivamente pelo pecado original; Adão com sua culpa contaminou toda a sua descendência. Os *Apontamentos...* deploram que tantas pessoas não se deem conta de tal situação. Por outro lado, a confissão apresenta a oportunidade privilegiada para que cada qual olhe para dentro de si e consequentemente descubra os recônditos em que o mal se esconde.

Resultado lamentável, de um lado, mas inevitável, de outro, é a presença do sofrimento a perpassar a existência humana. Os *Apontamentos*..., apelando a ninguém menos que Jerônimo, associam as enfermidades (expressão marcada do mal e da dor) aos pecados (apelando a ninguém menos que Jerônimo). E é tal conjuntura que define de forma decisiva a forma como a cruz, símbolo cristão fundamental, é considerada: algo a ser assumido e enfrentado na imitação de Jesus (de acordo com Mateus 16,24).

2.3. A Paixão de Nosso Senhor Jesus Cristo

A expressão mais extraordinária do amor de Deus pela humanidade foi o envio de Jesus Cristo ao mundo para sofrer em favor dela. Assumindo esse dado tradicional da doutrina católica e enfatizando-o, os *Apontamentos*... não temem afirmar a vingança de Deus sobre Jesus, ao fazê-lo morrer na cruz, em benefício geral da humanidade. Não era possível fazer mais, e é preciso dar-se conta de que "tudo fez e obrou este amorosíssimo Deus, feito Homem para mostrar aos homens o seu grande amor" (APDL, p. 36). Na verdade, esse amor é tanto do Pai todo misericórdia como do Filho feito homem:

> a graça de Jesus Cristo pode mais que o pecado. Não há comparação, diz o Apóstolo, entre o pecado do homem e o benefício que Deus nos fez dando-nos a Jesus Cristo. Grande foi o pecado de Adão, mais bem maior foi a graça que Jesus Cristo nos mereceu por sua Paixão. Eu vim ao mundo, diz claramente o Salvador, para que os homens mortos pelo pecado recebam por mim não somente a vida da graça, mais uma vida mais abundante do que a que tinham perdido pelo pecado (APDL, p. 15-16; o apóstolo é, obviamente, Paulo).

Assim, trata-se de uma morte eficaz, e com sobras, pois que "Jesus Cristo nos alcançou mais bem por sua morte, do que o demônio nos fez mal pelo pecado de Adão" (APDL, p. 15). E a culpa de Adão é feliz (e os *Apontamentos*... ecoam essa tradicional expressão), por ter, no fim das contas, proporcionado tamanha expressão do amor de Deus em favor dos homens, tomados como seus amigos (conforme João 15,13).

Daí a necessidade da veneração à cruz; daí esta se mostrar presente em todos os cantos; daí a temerem os demônios e todo o inferno.

2.4. As Artimanhas do Demônio

A referência que acabo de fazer ao demônio não é fortuita. Com efeito, a leitura dos *Apontamentos*... faz pensar num cenário em que a presença e a ação dele são marcantes e intensamente percebidas.[12] Atuante desde o tempo do paraíso, quando foi bem-sucedido na sedução ao primeiro casal humano e na consequente introdução do pecado no mundo, e tendo tido a possibilidade de inventar as mais estranhas torturas contra o Filho de Deus, ele tem tido também a missão (ou seria permissão?[13]) da parte de Deus de interferir com poder na vida humana, como evidencia eloquentemente o drama de Jó. Poder suficiente para impingir aos humanos nada menos que uma escravidão, manifestada, entre outras expressões, nas seitas e leis (excetuadas aquelas da graça), todas errôneas e falsas, bem como na cobiça que deriva do acúmulo das posses, e ainda na repugnância à confissão produzida no coração humano. Mas, principalmente, é Satanás que elimina na consciência das pessoas a lembrança da morte, o que as faz, no fim das contas, agir de forma leviana e impensada. O demônio é, efetivamente, "acérrimo inimigo do gênero humano" (APDL, p. 24) e, portanto, só cabe resistir-lhe de forma cabal e sem tréguas.

---

[12] O catolicismo trazido a estas terras pelos ibéricos era carregado de referências e medos do diabo, que tiveram na Renascença um incremento todo particular: "a Europa dos séculos XVI e XVII passou por uma verdadeira vaga diabólica. Nunca o Príncipe das Trevas havia adquirido tamanha importância no imaginário ocidental" (Robert Muchembled, *História do Diabo: Séculos XII-XX*. Rio de Janeiro, Bom Texto, 2001, p. 143; veja ainda Jean Delumeau, *História do Medo no Ocidente: 1300-1800, uma Cidade Sitiada*. São Paulo, Companhia das Letras, 1996, p. 239-59).

[13] Refiro-me aqui ao que se lê em APDL, p. 183-84. O contexto mais geral sugeriria "permissão", mas o que se lê efetivamente é "missão".

2.5. A Religião

Acompanhar e obedecer aos preceitos estabelecidos pela religião é, de um lado, a única resposta adequada à grandeza das invenções do amor de Deus, expressas exemplarmente na entrega de seu Filho; por outro lado, único meio eficaz para enfrentar as investidas do demônio, que pretendem desviar do caminho da salvação; e ainda fator decisivo para a organização e orientação da vida em meio a este desterro que é a existência na terra.

"Quem poderá mais amar outro objeto do que a Jesus, vendo-o cercado de tantas dores e desprezos a fim de cativar nosso amor?" (APDL, p. 123), pergunta-se o escritor, pretendendo conduzir uma vez mais o olhar de quem está a sua volta na direção da cruz. Cabe respeitar a Deus, recordando seu descanso quando da criação do mundo, pela observância reverente de seu dia; pela assistência à missa, melhor oferta que se pode fazer a Ele. A religião manterá viva na consciência das pessoas o desafio de oferecer fielmente o amor a quem as amou por primeiro. Ela refletirá a bondade de Jesus, que veio "à terra para trazer às almas o fogo do Divino amor, e que não tinha outro desejo senão de ver esta Santa chama acender em todos os corações dos homens" (APDL, p. 236). Assistir devotamente aos atos da religião é a postura adequada de quem se deixou tomar do amor de Deus e quer honrá-lo da forma devida.

Mas a frequência aos sacramentos é, principalmente, a possibilidade de se usufruir das graças divinas que por meio deles são comunicadas. Afinal de contas, "a morte de Jesus [de onde brota a religião cristã], é precisamente, diz Isaías, esta fonte prometida que inundou nossas almas nas águas da graça e que por sua virtude poderosa há convertido os espinhos do pecado em flores e frutos de vida eterna" (APDL, p. 11-12).

De sorte que a religião beneficia os humanos que têm apreço por suas almas, porque atenta aos dramas e necessidades deles,[14] e ao mesmo tempo aos

---

[14] Não é diferente o espírito que imbuía a ação de gerações de missionários europeus entre os séculos XVI e XIX, estudados por Louis Châtellier, que, "ao pregarem Cristo sofredor sobre a terra, anunciavam uma religião estreitamente unida ao mundo, às misérias e às esperanças dos homens" (*A Religião dos Pobres: As Fontes do Cristianismo Moderno*. Lisboa, Estampa, 1995, p. 153).

desafios que a vida lhes impõe. Pois é preciso enfrentar o demônio, não viver para ele, resistir-lhe pela oração. A religião leva, na medida em que desnuda ao ser humano sua própria miséria, a reconhecer que só em Deus se podem vencer as trevas do pecado.

De tantos benefícios e necessidades deriva o acento que vimos os *Apontamentos...* darem sobre o culto. Nas prédicas da "Sequência Bíblica" o culto aparece constituído por Moisés, por ordem divina, como a expressão religiosa da aliança estabelecida no Sinai. O culto católico, prefigurado no anterior, traduz pelo rito a correspondência entre o amor divino, sempre certo, e a resposta humana, a ser sempre verificada. E nada mais sugestivo que perceber, nas cerimônias previstas realizadas pela Igreja Católica, nada menos que a imitação dos gestos realizados pelo próprio Deus, o "mais Perfeito Pároco" (APDL, p. 173)![15]

2.6. Os mandamentos

Consideremos a seguinte afirmação:

> A religião santifica tudo, e não destrói coisa alguma, exceto o pecado, não proíbe as afeições naturais; pelo contrário, algumas há que ela ordena expressamente, e o preceito mútuo é um daqueles que o Evangelho inculca com mais cuidado. Amai-vos uns aos outros (APDL, p. 146).

Justamente porque voltada a apontar e iluminar o caminho da salvação, a ser trilhado cotidianamente, a religião não se ocupa apenas da relação, com certeza indispensável, que há de se estabelecer entre os humanos e Deus. Grande parte das páginas consagradas à reflexão sobre os mandamentos da lei divina se volta para lidar com as relações dos humanos com seus semelhantes. Os *Apontamentos...* parecem resistir ao que se poderia chamar a "privatização" da religião: o preceito do amor mútuo, acabamos

---

[15] A referência imediata é ao ritual do matrimônio.

de ler, é daqueles em que o Evangelho mais insiste, é componente decisivo da "doutrina do Altíssimo" (APDL, p. 70).

Daí resultarem, por consequência, tantas avaliações e conselhos sobre situações do cotidiano, que tocam as relações entre as pessoas nos mais variados aspectos: os vínculos e comportamentos no âmbito do matrimônio (apesar da discrição, ou constrangimento, com que considera o mal que se combate com o sexto mandamento); a atenção, particularmente na prédica sobre o sétimo mandamento, à pobreza e à miséria, num tratamento que, ao denunciar as diversas formas de furto ["usuras, tratos e destratos" (APDL, p. 93)], faz pensar no conceito da "economia moral" de Thompson;[16] o apelo para que a convivência não seja envenenada pela prática da murmuração, prática essa que está na origem da ação deletéria do demônio contra o primeiro casal humano; o valor da obediência (à qual é consagrada uma prédica), nos mais diversos níveis, desde aquilo que é devido aos pais até a submissão necessária aos poderes legitimamente constituídos, emanações da onipotência divina. Importa não perder de vista que as exortações sobre esses e outros temas, que encontramos ao longo dos *Apontamentos*... hão de ser entendidos no quadro do ideário religioso que se orienta para a salvação, a ser preparada na lida cotidiana. É este, ao final, o sentido para que naquela "Sequência Bíblica", e no conjunto menor encontrado em seu interior, a prédica tematizando o Sinai, a entrega dos mandamentos, expressão do compromisso que derivada aliança aí selada, ocupe o lugar central.

2.7. A "NOITE MEDONHA"

São os *Apontamentos*... que exortam: "não deixem para a hora da morte um negócio de tanta importância, como é o da vossa salvação" (APDL, p. 44). Prepará-la, eis a tarefa de cada dia; não a perder de vista, desafio do qual não se deve fugir e perante o qual não cabe qualquer distração e desvio. Efetivamente o juízo escatológico, entendido aqui na sua expressão particular, ou seja,

---

[16] Edward P. Thompson, *Costumes em Comum: Estudos sobre a Cultura Popular Tradicional*. São Paulo, Companhia das Letras, 1998, p. 150-266.

aquele que atinge a cada qual quando de sua morte, é algo que perpassa as páginas que estamos considerando, e a insistência nele é mais que compreensível, caso se considere a incerteza quanto à duração da vida, à imprevisibilidade do momento da morte e ao esquecimento dela produzido pela ação do demônio:

> O que é a vida do homem neste mundo? Não é mais que uma mera peregrinação; que vai caminhando com tanta pressa para a eternidade. E assim não há no homem firmeza, nem estabilidade, que por muito tempo dure. O homem deve, pois resolver-se definitivamente sobre sua conversão; porque não sabe a hora que a morte o arranque do leito (APDL, p. 76-77).[17]

Pensar sobre a fugacidade da vida, sobre a bênção da eternidade junto a Deus, bem como sobre a dor tremenda que acomete quem se perde, é o melhor remédio para a tentação de viver e agir de forma irresponsável e não correspondente às invenções todas do amor de Deus. Assim, apresenta-se dramático o seguinte conselho:

> Acorda, desperta do sono da culpa, não defiras por mais tempo o cuidado da única coisa necessária; apressa-te em pôr mãos à obra enquanto ainda é dia, Olha que já vem chegando a noite, durante a qual ninguém pode trabalhar: noite medonha, pavorosa noite que nunca terá aurora (APDL, p. 144).

Essa exortação de alguma forma enfeixa todos os objetivos dos *Apontamentos...*; afinal de contas, estes, por distintos que sejam os conteúdos de cada uma de suas prédicas e da seção "Textos", foram elaborados em

---

[17] Esse acento no juízo particular sintoniza com algo mais geral, constatado por Jean Delumeau: após o concílio de Trento (ocorrido entre 1545 e 1563, em reação à Reforma Protestante), "a Igreja Católica insistiu muito mais no juízo particular que no Juízo Final" (op. cit., p. 238).

vistas à "salvação dos homens", como se lê na própria folha de rosto que abre as prédicas.

Ao final se estampa, neste conjunto de meditações, uma visão religiosa bastante coerente. Do amor de Deus, expresso no dom de seu Filho morto na cruz em benefício dos homens, até o chamamento reiterado para o cuidado com a própria salvação, tudo soa consistente quando inserido no quadro geral do catolicismo vivido no contexto que viu surgir essas duas centenas e meia de páginas.

Mas há que se fazer a pergunta pela consistência e pela peculiaridade dos *Apontamentos*... É hora, portanto, de recolocar em cena o peregrino, Antonio Vicente Mendes Maciel.

CAPÍTULO II

Prospecção da Autoria: Matrizes

Dos *Apontamentos*... depreendem-se elementos fundamentais para o reposicionamento do perfil daquele que, enfim, subscreve seu conteúdo, Antonio Conselheiro. Neles se nota a assimilação de temas, textos e enredos bíblicos, por um lado, e, por outro, de materiais oriundos de dois livros, hoje praticamente desconhecidos, mas, cada um em seu tempo, de larga difusão e conhecimento. Centro minhas considerações exatamente aí, no esforço de compreender como o Conselheiro terá assumido e reelaborado conteúdos oriundos dos textos que lhe chegaram às mãos. Ou seja, trato de desenvolver o seguinte enunciado: Antonio Conselheiro, autor porque leitor. Assim, a perspectiva tomada para essas linhas que se seguem é a de fazer emergir não só a personagem, mas a visão de mundo que pretendeu incutir e partilhar com sua gente, o séquito que o acompanhou no desafio de viabilizar Belo Monte.

Ao contrário do que pretendeu Edmundo Moniz ao ler o caderno publicado por Ataliba Nogueira e assombrar-se com seu conteúdo, não foi a *Utopia*, de Thomas Morus, que fez o Conselheiro decidir-se pelo estabelecimento do Belo Monte.[1] Os princípios que o terão inspirado devem ser buscados no elástico interior da tradição cristã católica. Mas o catolicismo não é um bloco monolítico, muito menos sua recepção e concretização em conjunturas específicas; a história o ensina fartamente. Daí que, ao tomar pé das leituras de Antonio Conselheiro, nem de longe o imagino mero receptor passivo do ideário católico que por esses livros era veiculado, o que impediria a compreensão de seu empreendimento maior, que foi Belo Monte. O que se pretende é justamente o contrário: evidenciar como, da recepção criativa dada a algumas obras que lhe chegaram à mão, avulta o sujeito, o "mediador cultural" de Vovelle, que, "situado entre o universo dos dominantes e o dos dominados", ocupando então "uma posição excepcional e privilegiada", veio a criar "um idioma para si mesmo, expressão de uma visão de mundo bem particular", viabilizadora indispensável de Belo Monte.[2]

Assim, tomo os *Apontamentos...* como evidências escritas de que Antonio Conselheiro estabelece com os textos que lê e com os conteúdos que recebe uma relação dinâmica, já que "o leitor pode ir a contrapelo ou extrair um novo sentido das palavras familiares".[3] Ele

> estabelece conexões implícitas, preenche lacunas, faz deduções e comprova suposições – e tudo isso significa o uso de um conhecimento tácito do mundo em geral e das convenções literárias em particular. O texto, em si, realmente não passa de uma série de "dicas" para o leitor, convites

---

[1] Edmundo Moniz, *Canudos: A Guerra Social*. 2. ed. Rio de Janeiro, Elo, 1987, p. 41. Esta sugestão de Moniz deriva de Morus ser citado em uma passagem do caderno de 1897, não como autor de *Utopia*, livro que o Conselheiro certamente não conhecia, mas como mártir, condenado à morte por Henrique VIII.

[2] Michel Vovelle, *Ideologias e Mentalidades*. 2. ed. São Paulo, Brasiliense, 1991, p. 214.

[3] Robert Darnton, *O Beijo de Lamourette: Mídia, Cultura e Revolução*. São Paulo, Companhia das Letras, 1995, p. 167.

para que ele dê sentido a um trecho da linguagem. [...] *O leitor "concretiza" a obra literária*, que em si mesma não passa de uma cadeia de marcas negras numa página.⁴

No caso do Conselheiro são muitos textos, alguns deles eventualmente desconhecidos de nós.

1. ANTONIO CONSELHEIRO, LEITOR

Desde pequeno Antonio Vicente Mendes Maciel terá tido oportunidades privilegiadas de tomar contato com livros. De acordo com Nertan Macedo, alguns poucos se deram conta de que o futuro Conselheiro teria podido, em sua infância, "devorar o *Lunário Perpétuo*, aventuras de cavaleiros medievais e textos religiosos, as guerras do Imperador Carlos Magno e os Doze Pares de França, a Princesa Magalona e as lições do catolicismo católico".⁵

Se assim tiver sido, Antonio Maciel terá desenvolvido hábitos pouco comuns em seu ambiente, já que livros não eram exatamente algo de larga difusão ou de fácil acesso. Seja como for, esse acesso às letras haveria de lhe ser decisivo, sob tantos aspectos.

Visitemos brevemente alguns dos títulos mencionados por Macedo. Reconhecidamente livros como *Lunário Perpétuo* são recorrentes no sertão. Segundo Câmara Cascudo, este

> foi durante dois séculos o livro mais lido nos sertões do Nordeste, informador de ciências complicadas de astrologia, dando informações sobre

---

⁴ Terry Eagleton, *Teoria da Literatura: Uma Introdução*. São Paulo, Moderna, 2003, p. 102 (o destaque é meu).

⁵ Nertan Macedo, *Antonio Conselheiro: A Morte em Vida do Beato de Canudos*. Rio de Janeiro, Record, 1969, p. 101. A respeito destes títulos, e de outros que possam ter passado pelas mãos do futuro Conselheiro, é imprescindível a leitura de Luís da Câmara Cascudo. *Literatura Oral no Brasil*. 2. ed., São Paulo, Global, 2006.

horóscopos, rudimentos de física, remédios estupefacientes e velhíssimos. Não existia autoridade maior para os olhos dos fazendeiros, e os prognósticos meteorológicos, mesmo sem maiores exames pela diferença dos hemisférios, eram acatados como sentença. Foi um dos livros mestres para os cantadores populares [...]. Decoravam letra por letra. É o volume responsável por muita frase curiosa, dita pelo sertanejo [...]. Registra um pouco de tudo, incluindo astrologia, receitas médicas, calendários, vidas de santos, biografia de papas, conhecimentos agrícolas, processo para construir um relógio de sol, conhecer a hora pela posição das estrelas, conselhos de veterinária.[6]

A primeira edição do livro data de 1703, mas ele foi reeditado sucessivas vezes, pelo menos até meados do século XX. Com esses dados gerais não seria de todo impossível imaginar o Conselheiro de posse, ou fazendo uso, dessa verdadeira unanimidade entre os sertanejos letrados. Já a *História de Carlos Magno e os Doze Pares de França*, sempre segundo o notável estudioso da cultura popular sertaneja, constituiu-se num "volume popularíssimo em Portugal e Brasil, leitura indispensável por todo o sertão, inúmeras vezes reimpresso e tendo ainda o seu público leitor fiel e devotado".[7] Seu original francês, de 1485, foi amplamente enriquecido com outras façanhas, além daquelas que tiveram o imperador francês como herói, até pelo menos o século XVIII. Sua ampla repercussão pode ser verificada no cordel e nas danças populares, entre outras manifestações. Por outro lado, a história da princesa Magalona surge antes do século XIV e em português pelo menos no século XVIII, e descreve como a filha do rei de Nápoles, apaixonada pelo conde Pierre, acaba por viver grandes aventuras e desventuras até se reencontrar com o noivo.

Nada de tais sagas, ou do *Lunário Perpétuo*, parece estar reproduzido nos *Apontamentos*..., e constitui-se num desafio ainda não enfrentado situar

---

[6] Luís da Câmara Cascudo, *Dicionário do Folclore Brasileiro*. 10. ed. Rio de Janeiro, Ediouro, s/d, p. 524.
[7] Ibidem, p. 246.

o imaginário religioso do Conselheiro no contexto mais amplo daquele que se veio constituindo no sertão brasileiro, do qual ele provém. Para examinar o legado escrito de Antonio Maciel, talvez se devam deixar de lado essas referências, a partir de outra informação, decisiva, do próprio Nertan Macedo: em sua vida andarilha (a partir dos anos 1870) o futuro Conselheiro "já não lê o *Lunário Perpétuo*, o *Imperador Carlos Magno* e a *Princesa Magalona*. Conduz, no surrão, apenas dois livros religiosos: a *Missão Abreviada* e as *Horas Marianas*".[8]

As *Horas Marianas* apresentam-se também como

> *Ofício menor da Santíssima Virgem Maria Nossa Senhora* – instituído, reformado e aprovado pela Santa Igreja, exposto no idioma português para consolação espiritual dos que ignoram a língua latina, pelo padre frei Francisco de Jesus Maria Sarmento [...], oferecia [...] real intimidade e convivência com os descarnados das tumbas. [...] Consubstanciava todos os rogos de misericórdia pelas almas defuntas, esse breviário popular, por excelência, em seu tempo. Com um culto entranhado pelas almas, salmos de penitência e misericórdia, responsório, matinas, laudes, horas menores, vésperas e completas.[9]

Surgido em meados do século XVIII, o livro alcançou larga difusão em Portugal e no Brasil, como nos idos dos anos 1880 constata o autor das *Novas Horas Marianas*, que destaca no trabalho anterior

> a religião notória de seu autor, e o zelo com que ele soube inculcar ao povo tão santas práticas; [...] o ser ele [o livro] pela maior parte consagrado aos louvores da Mãe de Deus, de quem os povos de Portugal e do Brasil são, com justa razão, mui devotos [...]. Qual é a pessoa devota que não tenha

---

[8] Nertan Macedo, op. cit., p. 131. Recorde-se apenas que a história de Carlos Magno repercutirá fortemente no âmbito do movimento do Contestado (1912-1916).
[9] Ibidem, p. 141-42.

por companheiro inseparável [...] e que não folheie muitas vezes aquele Formulário em que se acham tantas Orações para diferentes necessidades de nossa triste vida neste vale de lágrimas?[10]

Também seria necessário verificar a repercussão das *Horas Marianas* na trajetória do Conselheiro. Contudo, porque se trata mais de um devocionário, feito de preces e orações variadas, e menos de textos reflexivos, e mesmo recordando que Euclides da Cunha considera que a "retórica bárbara e arrepiadora, [...] desconexa, abstrusa" do Conselheiro é "feita de excertos truncados das *Horas Marianas*",[11] concentro-me, na esteira de Otten, no livro *Missão Abreviada*, fonte decisiva na configuração dos teores que levam o nome de Antonio Vicente Mendes Maciel, o peregrino. Não se deixe de notar, contudo, que as *Novas Horas Marianas* apresentam, na forma, algo semelhante ao que se encontra na seção "Textos" dos *Apontamentos*...: uma seção intitulada "Piedosos Suspiros ou Orações Jaculatórias Tiradas da Sagrada Escritura, que se Poderão Dirigir a Deus, em Casa ou na Igreja, segundo o Diverso Estado da Alma".[12] Os versículos bíblicos (num caso apenas se segue um comentário) são agrupados em seis temas: a) para alcançar a remissão de pecados; b) para impetrar a humildade; c) para conhecer esta vida; d) para exercer a resignação; e) para pedir paciência; f) contra as tentações; g) para exercer a confiança; h) exercício do temor de Deus; i) para a cautela no falar; j) para conhecer a vontade de Deus nas coisas duvidosas, mormente na escolha do estado de vida; k) depois de havermos resolvido servir a Deus; l) para recordar e presença de Deus; m) louvor a Deus e ação de graças; n) amor de Deus e da celestial glória.

---

[10] J. I. Roquete, *Novas Horas Marianas, ou Officio Menor da Ssma. Virgem Maria e Novo Lecionário mui Completo de Orações e Exercicios de Piedade*. Paris / Lisboa, Guillard, Aillaud & Cia, 1885, p. X. Nessa introdução padre Roquete garante nada ter alterado do conteúdo do antigo *Horas Marianas*, tendo dado apenas "melhor disposição às matérias" (p. XII).

[11] Euclides da Cunha, *Os Sertões: Campanha de Canudos*. São Paulo, Ateliê / Imprensa Oficial do Estado / Arquivo do Estado, 2001, p. 274.

[12] J. I. Roquete, op. cit., p. 43-58.

2. *A MISSÃO ABREVIADA* E ANTONIO CONSELHEIRO

O título completo é extenso: *Missão Abreviada para Despertar os Descuidados, Converter os Pecadores e Sustentar o Fruto das Missões*. Obra do padre português Manoel José Gonçalves Couto (1819-1897), teve enorme penetração também nos sertões nordestinos, na segunda metade do século XIX e início do XX; servia de base para pregações, de padres e leigos, e para isso foi destinado: "para os párocos, para os capelães, para qualquer sacerdote que deseja salvar almas e finalmente para qualquer pessoa que faz oração em público" (como se lê na folha de rosto).[13]

O livro se divide em quatro partes. A primeira é feita de 25 meditações, sendo que alguns dos temas são semelhantes aos encontrados nos *Apontamentos...* A segunda parte constitui-se de 51 "instruções Extraídas dos Evangelhos". Já a terceira intitula-se "Instruções Extraídas da Paixão", em número de 46. E, no interior dessa mesma parte, 49 "instruções sobre assuntos da maior importância". Finalmente a quarta parte nos apresenta 41 exposições, a maior parte delas constituída de vidas de santos. Logo após a mensagem inicial "aos leitores", onde trata da extração de mais de 65 mil exemplares da obra e solicita ainda maior divulgação dela, Gonçalves Couto adiciona, como se fosse uma epígrafe ao que está para apresentar: "'*Omnes declinaverunt [...] non est qui faciat bonum, non est usque ad unum.* Todos se apartaram do verdadeiro caminho, e não há quem pratique o bem, nem sequer um' (Salmo 13)". E prossegue com um "*N. B.* [note bem] *Repito algumas cousas por várias vezes, porque assim o quero, para que fiquem mais gravadas na memória de quem as lê ou ouve ler*" (MA, p. 3; destaque do autor).

---

[13] Foram 140 mil exemplares editados em dezesseis edições, com diferenças significativas entre algumas delas, com supressões e principalmente acréscimos de materiais. A primeira foi publicada em 1859, e a quinta, em 1867. Consultei a 14ª, datada de 1895. Mas me sirvo, efetivamente, da nona edição, datada de 1873 (Casa de Sebastião José Pereira, Porto), opção razoável caso se considere que o Conselheiro tenha entrado em contato com essa obra em meados dos anos 1870; dela são extraídas as citações de que farei uso, com a indicação "MA" seguida do número da página.

Esses dois elementos com que a obra começa são altamente reveladores daquilo que seu eventual leitor deve esperar. Que (alguns) assuntos apareçam repetidos, sem dúvida o são. Mas importa aqui a citação do salmo, decisiva para a caracterização do tom da obra. Se "todos se apartaram do verdadeiro caminho", não estranha que Gonçalves Couto se dirija a seu público leitor com o epíteto "pecador". Veja-se, a título de exemplo, como se inicia a primeira meditação, intitulada "Da Vocação de Deus":

> Considera, pecador,[14] quão grande é a misericórdia de Deus para contigo: pois criando-te Deus à sua imagem e semelhança, pelo pecado original já estavas perdido, já estavas debaixo do poder do demônio; e Deus, pela sua grande misericórdia, chamou-te para o rebanho dos seus amigos; pelo Santo Batismo tirou-te do poder do demônio, e alistou-te debaixo das suas bandeiras para o servires e amares, e d'esta sorte conseguires o teu último fim, que é a eterna Bem-Aventurança. Porém, tu, pecador, em lugar de seres agradecido a este bom Deus, e cumprires exatamente com as promessas do Santo Batismo, foste um ingrato a este tão grande benefício, e tornaste a fugir da casa do teu Pai do Céu para esta região do pecado. Oh! quão grande é a tua miséria! [...] Deus, porém, como bom Pai, vendo-te assim perdido e desgraçado, teve compaixão de ti, e tem-te chamado já muitas vezes para a sua amizade; e ainda agora mesmo te chama e convida pelas minhas vozes. Ele anda procurando-te com carinhos de Pai; por isso não lhe fujas mais, pecador. Deves considerar, que o tempo das misericórdias também se acaba. Deves estar certo, que sem tu quereres, e quereres de veras, não te salvas, nem Deus te quer salvar (MA, p. 21-22).

Essa é a tônica, reiterada insistentemente, já que a toda hora vêm à tona as "gargantas do inferno" (MA, p. 29). Nas meditações da primeira parte, mais da metade do conteúdo versa sobre o fim do ser humano, apresentado com as cores

---

[14] Gonçalves Couto também reservará a seu leitor outro epítetos, como "um monstro de ingratidões" (MA, p. 112).

carregadas do juízo, das possibilidades e certezas de condenação, com a visão do inferno, para onde vão os maus em companhia dos demônios, "dando gritos e alaridos, e proferindo terríveis maldições" (MA, p. 77); um lugar situado

> no centro da terra; é uma caverna profundíssima cheia de escuridão, de tristeza e horror; é uma caverna cheia de lavaredas de fogo e de nuvens d'espesso fumo. Lá são atormentados os pecadores na companhia dos demônios; lá estão bramindo e uivando como cães danados, proferindo terríveis blasfêmias contra Deus (MA, p. 78).

Folheiam-se as páginas, e o mesmo clima permanece:

> Pecador, desengana-te; se com tempo não reformares a tua vida, infalivelmente serás um condenado no fogo eterno [...]. Lá cairás nessa prisão de infelizes e condenados; nessa caverna de chamas e de fogo; fogo que atormenta não só os corpos, mas também as almas! [...] Vai ao inferno, pecador, vai lá em vida, para lá não caíres depois de morto (MA, p.87).

O momento da morte é terrível:

> Ai de ti, pecador! Que será de ti quando te vires lutando braço a braço com a morte, e a tua alma em pecado mortal, sem uma confissão bem-feita? Então ver-te-ás cheio de tristezas, aflições e amarguras, porque debaixo de ti verás um mar de fogo o mais devorante, que te espera; por cima de ti verás a um Deus de justiça com a espada desembainhada para castigar-te [...] (MA, p. 65-66).

Os exemplos dessa tonalidade poderiam ser multiplicados, e levariam à reprodução quase total do livro. Que tal perspectiva foi claramente percebida, mostra-o o testemunho de Honório Vilanova, afilhado do Conselheiro, no memorável depoimento que concedeu a Nertan Macedo, atestando ainda seu largo uso pelos missionários que conheceu. Segundo ele, a *Missão Abreviada* é um livro "onde muito se fala da morte, do inferno, do céu, do juízo final, dos açoites e espinhos e da Paixão de Nosso Senhor Jesus Cristo. Os frades pregadores daquele tempo conduziam sempre este livro".[15]

2.1. O LIVRO DO PEREGRINO

É de Euclides da Cunha a referência mais conhecida ao largo uso que o Conselheiro fazia do *Missão Abreviada*. Ao traçar o decisivo perfil do futuro líder do Belo Monte, apresentando o início de sua vida andarilha, o escritor assim se expressa:

> Dos sertões de Pernambuco [Antonio Maciel] passou aos de Sergipe, aparecendo na cidade de Itabaiana em 1874. Ali chegou, como em toda a parte, desconhecido e suspeito, impressionando pelos trajes esquisitos – camisolão azul, sem cintura; chapéu de abas largas derrubadas, e sandálias. Às costas um surrão de couro em que trazia papel, pena e tinta, a *Missão Abreviada* e as *Horas Marianas*.[16]

Agora as *Horas Marianas*, de onde, segundo o escritor fluminense, seriam extraídos os materiais constitutivos das prédicas do Conselheiro, aparecem acompanhadas da *Missão Abreviada*. Também Manuel Benício, em seu importantíssimo e pouco desbravado trabalho sobre "o rei dos jagunços", menciona este livro nas mãos do Conselheiro: "Correm seis anos sem que se tenha notícia de Maciel, quando em 1874, no termo de Itapicuru, na Bahia, aparece vestido de túnica azul de algodão grosso, alpergatas, com uma *Missão Abreviada* na mão, os olhos baixos, longas barbas e longos cabelos incultos [...]".[17]

---

[15] Nertan Macedo. *Memorial de Vilanova*. 2. ed. Rio de Janeiro / Brasília, Renes / Instituto Nacional do Livro, 1983, p. 49.

[16] Euclides da Cunha, op. cit., p. 268.

[17] Manuel Benício, "O Rei dos Jagunços: Crônica Histórica e de Costumes Sertanejos sobre os Acontecimentos de Canudos". Rio de Janeiro, Tipografia do Jornal do Comércio, 1899; reproduzido em Sílvia Maria Azevedo, O Rei dos Jagunços *de Manuel Benício: Entre a Ficção e a História*. São Paulo, Edusp, 2003, p. 69.

Esses dados são confirmados por Honório Vilanova, para quem a *Missão Abreviada* era "o livro do Peregrino". Mais ainda: o Conselheiro "amava esse livro e varava o dia e a noite lendo ou copiando as Meditações e os Exemplos dos Santos".[18] Em outro momento Vilanova parece sugerir que a *Missão Abreviada* era a matriz das palavras sempre certeiras de seu padrinho: este "não era homem para acreditar em bruxarias. Lia a sua *Missão Abreviada*".[19]

O próprio Nertan Macedo, ao editar a entrevista de Honório Vilanova, reforça esse perfil de um Conselheiro leitor atento e constante da *Missão Abreviada*:

> Seu [do Conselheiro] livro era a *Missão Abreviada*, um amontoado terrível de Meditações e Instruções Extraídas dos Evangelhos, principalmente da Paixão de Cristo. Seguidas de resumos da vida dos Santos [...]. Meditações e Instruções quase jansenistas [...]. Para os incrédulos, contra os protestantes, do Anticristo e do fim do mundo [...]. A *Missão Abreviada* traduzia a maneira de ser do Peregrino. Essa espécie de breviário leigo das famílias dos sertões, esquecidas no tempo [...]. Era o livro do Conselheiro [...]. O Peregrino lia e confirmava o Padre Manoel, autor da *Missão Abreviada*.[20]

Mas retorno a Honório Vilanova. Ele dá testemunho não só de que o Conselheiro era leitor assíduo da *Missão Abreviada*, como também de que tratava de copiá-la, algo que fazia até a exaustão: "Quando a mão do Peregrino estava cansada, escrevia por ele Leão de Natuba, que tinha boa caligrafia e era muito devoto".[21] É curioso, porém, notar que o testemunho de Vilanova se mostra ambíguo ao se referir à atividade de escrita do Conselheiro, ou realizada sob sua supervisão. Ele sugere não só que o Conselheiro copiava (ou fazia copiar), mas também que escrevia a partir do que lia: "tinha uma letra fina, botava a folha de papel na mão e

---

[18] Nertan Macedo, op. cit., p. 49.
[19] Ibidem, p. 68.
[20] Ibidem, p. 50-51.
[21] Ibidem, p. 49.

escrevia sem parar, até quando o vento a dobrava. Páginas de profecias e orações. Quando não escrevia ele, ditava a Leão de Natuba".[22]

Talvez essa observação possa ser reforçada por outro dado, oferecido agora por Abelardo Montenegro, grande conhecedor da cultura sertaneja: Antonio Conselheiro "mantinha um secretário – Leão da Silva – a quem ditava *seu* pensamento sobre religião, provavelmente, pois ninguém tinha notícia do conteúdo dos cadernos que, em sua maior parte, desapareciam na voragem da guerra".[23]

O próprio Nertan Macedo, que, ao comentar os termos do depoimento de Honório Vilanova, tende a apresentar o Conselheiro e sua pregação absorvidos pelo universo rigorista da *Missão Abreviada*, acaba por conceder que a leitura que o Conselheiro efetivamente fazia desses livros não seria assim mecânica como se poderia pensar. Pelo contrário, numa de suas expressões sugere alguma criatividade na atividade literária do Conselheiro: "Porque sabia ler e escrever, Antonio Vicente se acompanha desses livros [*Missão Abreviada* e *Horas Marianas*]. Deles extrairá doutrina, pensamento e ação. Não se cingirá à leitura dos dois, somente. Comporá seu *breviário*, pessoal, particular, nas horas de meditação".[24]

E, mais adiante: "e só, no seu casebre de palha, confinante ao santuário, traduzia a seu modo as elucubrações sinistras da *Missão Abreviada*. Ele próprio escrevendo ou ditando a Leão da Silva [...]".[25]

Parece, portanto, haver da parte de Montenegro e Macedo o reconhecimento de alguma distinção (de conteúdo, ou de perspectiva; será preciso investigar) entre o que se propõe na *Missão Abreviada* e naquilo que brota do Conselheiro, de que os *Apontamentos...* são testemunho. Mas antes de passar a essa avaliação, registro aqui um testemunho diferenciado. Trata-se do que afirma José Aras a respeito de um momento crucial da trajetória de Antonio Maciel, alguns dias antes do seu estabelecimento às margens do Rio Vaza-barris, e após o combate com as tropas

---

[22] Ibidem, p. 68.

[23] Abelardo Montenegro, *Fanáticos e Cangaceiros*. Fortaleza, Henriqueta Galeno, 1973, p. 133 (o destaque é meu).

[24] Nertan Macedo. op. cit., p. 142 (destaque do autor).

[25] Ibidem, p. 58.

da polícia baiana em Masseté, a 26 de maio de 1893.[26] De acordo com o escritor sertanejo, cujos pais conheceram o Conselheiro, aguardando o revide que certamente viria, ao passar pelo vilarejo Cumbe, rumo ao longínquo norte, tendo exigido o púlpito ao velho padre Sabino, o Conselheiro assim teria se pronunciado:

> Meus irmãos, o anticristo é chegado. Está aqui neste livro [a *Missão Abreviada*]. O ataque de Maceté (sic) constituiu uma prova para nós. O meu povo é valente. O satanás trouxe a república, porém em nosso socorro vem o Infante rei D. Sebastião. Virá depois o Bom Jesus separar o joio do trigo, as cabras das ovelhas. E ai daquele que não se arrepender antes, porque tarde não adiantará. Jejuai que estamos nos fins dos tempos. Belos Montes será o campo de Jesus, a face de Jeová. Os republicanos não devem ser poupados pois são todos do anticristo. De hoje em diante será "dente por dente e olho por olho".[27]

Não é possível aqui entrar na discussão a respeito da atribuição destas palavras ao Conselheiro, embora a referência a Deus como Jeová seja apenas um ponto a sugerir que elas tenham sido bastante "editadas" a partir de uma perspectiva posterior.[28] Seja como for, o perfil do futuro líder de Belo Monte que emerge de José Aras, mais próximo ao de Euclides da Cunha do que daquele que se vislumbra da leitura dos *Apontamentos*..., situa-o no quadro de esperanças e temores apocalípticos, num contexto marcado pela ação de Satanás e do anticristo, donde o anúncio do fim dos tempos, a colheita como imagem bíblica do juízo final: Belo Monte será o palco da batalha escatológica final. Duas pará-

---

[26] O combate de Masseté precipita a última guinada decisiva na trajetória do Conselheiro, fazendo-o suspender sua vida itinerante e levando-o a instalar-se no arraial de Canudos, que logo rebatizaria como Belo Monte. Mais adiante se fará referência a este episódio, de maneira mais circunstanciada.

[27] José Aras, *Sangue de Irmãos*. Salvador, Museu do Bendegó, 1953, p. 25. Tomo esse fragmento de "sermão" por exemplo, já que os outros registrados por Aras são de teor semelhante.

[28] Nos termos de José Calasans, em conversa que tivemos (em 11/12/1999), não é possível avaliar com certeza até onde José Aras falava do que conhecia e ouvia e a partir de quando fantasiava em seus relatos.

bolas feitas alegorias já nos Evangelhos para ilustrar a seleção que ocorrerá no último julgamento (veja Mateus 13,24-30.36-43; 25,31-46) são citadas: o Bom Jesus separará o joio do trigo, as cabras das ovelhas.[29] Mas o que aqui importa é realçar a presença da *Missão Abreviada* como a fonte reveladora da iminência dos tempos do fim, inspiradora das suas palavras proféticas, legitimadora de seus anúncios e convocações. Por mais estranho que possa parecer, o que resulta dessa leitura não deixa de reforçar a imagem de um Antonio Conselheiro que tem na *Missão Abreviada* uma referência basilar, e pretende interpretá-la, bem como entender, por meio dela, o que ocorre consigo e à sua volta.

2.2. A *Missão Abreviada* e os *Apontamentos*

Passo, finalmente, ao exame das relações que podem ser percebidas entre o "livro de cabeceira" do Conselheiro e as reflexões que levam o seu nome, os *Apontamentos*... O problema que se coloca é, como se viu acima, o da leitura que o Conselheiro terá feito da *Missão Abreviada* e do sentido que terá imprimido a seu conteúdo. A expressão atribuída a Honório Vilanova, dando conta de que o líder de Belo Monte lia muito e copiava as meditações e vidas de santos encontradas no livro pode fazer pensar que nos *Apontamentos*... se encontraria praticamente o mesmo teor. Efetivamente tem havido quem assim vem pensando, e com isso elimina, de antemão, a eventual originalidade das prédicas que levam o nome do Conselheiro.[30] Ecos do rigorismo da *Missão Abreviada* se encontram, efetivamente, nos *Apontamentos*..., como se pode verificar na passagem seguinte, que obviamente pretende incutir pavor em quem a escuta:

> Ainda não se penetram de arrependimento, vivendo tantos anos, ofendendo a um Deus infinitamente bom, que, com tanta paciência vós tem esperado? Movido de ternura, vos chama ainda ao arrependimento, tudo

---

[29] Não se entende muito a razão de D. Sebastião constar desse cenário: estar-se-ia diante de mais um dos ajustes redacionais de Aras?

[30] Sem contar que justamente o que não se encontra nos *Apontamentos*... é o registro da vida de santos!

efeito de sua bondade e misericórdia. *Mas, se ainda não prende a vossa atenção, continuando na mesma carreira, ver-se-á o Senhor obrigado pela sua justiça a pôr termo a sua misericórdia.* Ouvireis naquele momento horrível, que a morte vos arrebata, aquelas palavras do Senhor, dizendo: *Vocavi est renuiste ego quoque interitu vistro ridebo.* – Vos chamei, não me ouviste[s], eu também em vossa morte rir-me-ei de vós (APDL, p. 78-79; o destaque é meu).

Mas essa não é a tônica fundamental do caderno, embora não se deva concluir daí que o horizonte sugerido por esse fragmento deva ser ignorado quando se leem os *Apontamentos*...: o riso do Senhor no momento da condenação dos infiéis não é exatamente o que decorreria naturalmente da percepção de um Deus cheio de invenções amorosas. Mas a ênfase das prédicas do caderno manuscrito está no chamado ao arrependimento e nas inúmeras manifestações amorosas de Deus, que quer a salvação de todos. Tomo aqui alguns exemplos, esperando que sejam significativos e ilustrem o modo de o Conselheiro, nos *Apontamentos*..., assumir de forma criativa e diferenciada o legado que provém da *Missão Abreviada*.

2.2.1. O Juramento Falso

Percorro um primeiro exemplo, despretensioso, em que o fragmento da *Missão Abreviada* é extraído de uma instrução intitulada "Sobre o Juramento" e o dos *Apontamentos*... deriva da meditação sobre o segundo mandamento do Decálogo:

Missão Abreviada	*Apontamentos...*
Porque há cristãos desmoralizados para jurar tudo quanto se lhes pede. E quem há de pagar tantos prejuízos, que quase sempre se seguem desses juramentos falsos? Essas malditas testemunhas; pois além do grande pecado que cometem, ficam responsáveis por todos os trabalhos, despesas e danos que se seguirem do seu juramento falso! (p. 417-18)	Há cristãos desmoralizados para jurar tudo quanto lhe pedem! E quem há de pagar tantos prejuízos que quase sempre se seguem desses juramentos falsos? Essas testemunhas, pois além do grande pecado que cometem, ficam responsáveis por todos os trabalhos, despesas e danos que se seguirem de seus juramentos falsos (p. 23).

Imagine-se Leão de Natuba registrando o que ouvia do Conselheiro, e suspeite-se que, no assumir esse momento da *Missão Abreviada*, tenha-se evitado conscientemente qualificar como "malditas" as testemunhas que juraram falso, o que não é pouca coisa (e certamente isso não se faz para diminuir a gravidade do que aqui se censura). No entanto, tudo fica mais eloquente quando se percebe o cenário mais amplo em que esse fragmento aparece numa e noutra obra:

Missão Abreviada	*Apontamentos...*
Pasmai, ó Céus, pasmai sobre tanta maldade!... O juramento, diz São Paulo, é para se conhecer a verdade e acabar com as contendas; mas no nosso tempo cada dia se veem mais demandas, mais desordens, os cartórios entulhados de papéis litigiosos, os tribunais cheios de papéis litigantes, os juízos embaraçados, posses antigas extraviadas, propriedades alienadas, dívidas perdidas, testamentos anulados, escrituras falsas, e por que se vê tudo isso? [segue-se o fragmento acima transcrito] Oh! que responsabilidades! que maiores embaraços para a salvação! Bem podeis temer e tremer quando derdes algum juramento; pois se injustamente causardes algum prejuízo, vós não tereis o perdão de Deus (p. 417-18).	O horror que inspira o vosso procedimento deixando-vos vencer pela ameaça para cometerdes um juramento falso, que ocasiona o dano que sois responsável por ele. [...] Se vos achardes penetrados de reconhecimento pelos benefícios que tendes recebido deles, é justo que deveis satisfazê-lo, menos com sacrifício da vossa consciência; conservando-vos numa atitude invencível acerca deste objeto de tanta transcendência para o homem que verdadeiramente teme a Deus. [segue-se o texto acima transcrito] Parece ser o esquecimento da morte que ocasiona tanta desgraça. É mais útil que não vos esqueçais que haveis de morrer: porque não há coisa mais importante para livrar os homens de ofender a Deus do que a repetida lembrança da morte (p. 21-24).

O livro de Gonçalves Couto menciona várias situações em que se faz falso juramento e as justifica pela existência de cristãos desmoralizados, que correm o risco de não terem o perdão de Deus se forem injustos: "desgraçados juramenteiros falsos, que será de vós todos? [...] Que castigos não dará Deus a quem jura em vão o Santo Nome do mesmo Deus? Tremei, pois, pecadores [...]" (MA, p. 418). Já a prédica encontrada entre os *Apontamentos...* remete a pessoas que convidam outras a prestarem falso juramento; o verdadeiro cristão deve ser forte e não ceder a tais pedidos, embora se reconheça haver pessoas que assim ajam, o que só pode decorrer do esquecimento da morte. Não é difícil perceber a mudança de tonalidade: a *Missão Abreviada* ameaça; os *Apontamentos...* exortam.

2.2.2. Sobre a Guarda do Dia do Senhor

Nos respectivos comentários ao mandamento de se guardar adequadamente o dia do Senhor podem ser notadas, uma vez mais, as distintas perspectivas que norteiam cada um dos textos. Aqui não há relação direta de ordem literária; a temática é que é a mesma. A *Missão Abreviada* pontua o que nesse dia se faz e não se deveria fazer; já os *Apontamentos...* indicam o que nele se deve realizar, tendo em vista tudo o que "fez e obrou esse amorosíssimo Deus" (APDL, p. 36) para mostrar aos homens o seu grande amor, merecendo assim ter um dia para sua adoração em memória dessas obras. Veja-se primeiramente um fragmento do texto do padre português:

> [...] o Domingo é o dia do Senhor; Ele o reservou para si, é todo d'Ele; por isso nesse dia tão sagrado e santo não se devem fazer costuras [...]; nem andar com carros, ou bestas carregadas; nem se deve negociar n'esse dia, senão naquilo que é para comer e beber, e só a retalho; nem se deve começar jornadas, nem andar a pescar, ou a caçar em todo o dia: noutro tempo nem se ia buscar hortaliça, ou água para a cozinha, nem se varriam as casas!! [...] Os costumes em contrário são abusos e mais abusos; é falta de religião, e desenganai-vos. Nesse dia deve trabalhar-se muito, mas é para a salvação, é para a eternidade! [...] O Domingo na verdade é o dia do Senhor, mas para muitos cristãos é o dia dos sete pecados mortais! Sim, isto é verdade, porque n'esse dia é que se vai para o namoro, para a conversa amatória, para a casa da manceba, para o baile, para o teatro, para visitas e sociedades, para as más companhias, finalmente, para essas casas do inferno, onde se pervertem e perdem almas imensas!! O Domingo é o dia do Senhor; e eu direi com toda razão, que o Domingo é o dia do demônio, porque é quando o demônio faz maiores caçadas! (MA, p. 432-33)

Converte-se, portanto, o dia do Senhor em dia do demônio, devido ao incorrigível comportamento leviano e irresponsável da maioria das pessoas. A prédica assume, portanto, o tom da denúncia e da ameaça. Veja-se agora o fragmento extraído dos *Apontamentos*...:

> Que ofensa gravíssima cometem neste preceito aqueles que não santificam o Domingo e dia Santo de guarda à vista da qualidade da Belíssima Pessoa que sofre essa ofensa, que é um Deus de uma Majestade infinita, a quem os Anjos não levantam a vista. Não se pode qualificar o procedimento daqueles que praticam desse modo, que parece não haver neles a menor sombra do temor do Onipotente! Quem pois, não pasma à vista de tão degradante procedimento? Sim, eles devem considerar atentamente que têm seis dias para o seu trabalho, o Domingo é o dia do Senhor, é o dia [em] que Ele descansou, é o dia enfim, que Ele abençoou e santificou, como memória de suas obras. Se querem ser glorificados com Ele, para gozarem de sua glória, honrem ao Senhor santificando o Domingo e o dia Santo de guarda, ouvindo Missa, lendo livros espirituais, rezando o Rosário, e assistindo aos atos da Religião. Só a Lei de Nosso Senhor Jesus Cristo é verdadeira, que os homens devem guardar irrepreensivelmente para a sua salvação (APDL, p. 32-33).

A perspectiva que daí decorre é a de que só uma pessoa insensata deixaria passar a oportunidade de reverenciar o dia do Senhor, realizando as práticas condizentes a ele. Mais uma vez, o tom é exortativo.

2.2.3. A missa

Passo a um último exemplo, importante caso se considere o lugar que este rito ocupa no contexto religioso católico. Os textos a serem comparados levam o mesmo título: "Sobre a Missa", e concordam no reconhecimento do caráter excelso dela, no benefício que propiciam às almas do purgatório. Quanto a sua superioridade em relação às esmolas que se ofereçam aos pobres, também concordam; segundo a *Missão Abreviada*, "mais se oferece a Deus em uma só Missa do que dar aos pobres todo o mundo, se qualquer fora senhor de tudo" (MA, p. 426). Nos *Apontamentos*... encontra-se algo oriundo diretamente de sua fonte:

> São Bernardo diz que em uma Missa oferecemos muito mais a Deus, que se déramos tudo quanto temos aos pobres, ainda que fôssemos o Senhor do universo e déramos de esmola toda ao mundo e suas rendas (APDL, p. 140-41).

Mas onde radica a grandeza suprema da Missa? Aqui as razões são significativamente distintas; não opostas, mas diferentes. Para Gonçalves Couto,

> a razão é clara: porque toda a honra que qualquer criatura possa dar a Deus é sempre finita e limitada; mas a honra que Deus recebe pela Missa, dada como é por uma pessoa infinita, é uma honra infinita. A Missa é a obra mais santa, mais aprazível e a mais digna de Deus; é a que mais eficazmente desarma a ira de Deus; é a que mais terrivelmente combate as potências do inferno (MA, p. 426).

A grandeza da missa deriva de ser ela presidida por Jesus (assume-se aqui a formulação católica tradicional do sacerdote como *alter Christus*), dada a incapacidade absoluta que o ser humano tem, pecador incorrigível que é, de agradar a Deus. O texto dos *Apontamentos*..., sem descuidar da precariedade da condição humana, considera a grandeza da missa a partir de outra perspectiva: "n'Ele [no sacrifício que a missa é] apresentamos ao Padre Eterno o mais e o melhor que lhe podemos dar e sua Divina Majestade nos pode pedir" (APDL, p. 141). Mas, principalmente, esta "representação da Paixão e Morte de Nosso Senhor Jesus Cristo" nos faz lembrar "do que por nós padeceu" e acaba por se tornar, pela "repetida memória", "um despertador grande, para amar a Deus e servi-lo" (APDL, p. 139). De alguma forma, sujeitos da missa são todas as pessoas envolvidas, não apenas o padre [...]. A grandeza dessa oferta humana a Deus (sim, é preciso considerar a primeira pessoa do plural utilizada nas frases!) deriva de que ela incute na lembrança a maravilha do amor de Deus (seria mais uma de suas invenções?!), estimulando os humanos a se voltarem amorosamente a Ele. Não à toa o texto destaca ainda dois outros benefícios trazidos pela missa: ela é o tempo mais oportuno para a oração; e por ela se destroem os vícios e se granjeiam virtudes: não é a ira de Deus que a missa aplaca, mas a dos próprios humanos (APDL, p. 140)!

Daí derivarem duas posturas muito distintas no momento de censurar quem deixa de "ouvir a missa" (expressão dos dois textos) ou se envolve com ela de forma inadequada. Segundo o autor da *Missão Abreviada*, "ouve-se muito mal a Missa; muitos nem sequer se preparam para ela; porque estão lá fora, e não entram senão depois que está começada [...] lá estão muitos que nem rezam, nem meditam [...]; estes, bem como outros, pecam mortalmente, não ouvem Missa, nem cumprem com o preceito [...]" (MA, p. 428).

Nada disso se encontra nos *Apontamentos*...; para estes quem ainda não reconheceu o devido valor da missa deixa de se beneficiar das graças acima mencionadas, e ainda das indulgências que diversos papas concederam a quem a ouve ou dá esmolas para ela. Assim, é preciso dar prioridade àquilo que efetivamente a merece.

2.3. Apreciação

Os efeitos práticos do teor da *Missão Abreviada* não foram difíceis de ser sentidos. Honório Vilanova, no depoimento já citado, não registrava apenas o seu largo uso: "os frades pregadores daquele tempo conduziam sempre este livro, que de tão cru, nas palavras, fechava sem piedade as portas do céu".[31] Será preciso pensar se isso de alguma forma tem a ver com a liderança do Conselheiro sobre milhares de pessoas que se deslocaram para viver com ele no Belo Monte; seja como for, cabe considerar que, se a *Missão Abreviada* terá sido a fonte literária mais decisiva na configuração do imaginário religioso de Antonio Vicente Mendes Maciel, este a assumiu de forma muito reservada, subvertendo-a praticamente em pontos essenciais. Por isso é pouco o que diz Fiorin,

---

[31] Nertan Macedo, op. cit., p. 49.

referindo-se à relação do caderno já publicado, que leva o nome do Conselheiro, com a *Missão Abreviada*:

> há outros fragmentos em que o beato reelabora os elementos que o sermonário lhe oferece. É preciso verificar que, mesmo as passagens transcritas, ele não as reproduz sem qualquer alteração, mas resume alguns trechos, muda a ordem dos elementos, altera determinadas construções, atenua algumas expressões, adapta o vocabulário, acrescenta ou suprime períodos. Em síntese, poderíamos dizer que ele adapta as instruções de *Missão Abreviada* para um público específico.[32]

Essa observação é fundamental, ao permitir estabelecer uma distinção entre a *Missão Abreviada* e as formas de sua leitura. Mas é insuficiente, à medida que a leitura dos *Apontamentos*... revela que o uso que se fazia do livro de Manoel Couto era seletivo, não servil. No alterar de construções, no atenuar expressões, no resumir uns trechos e eliminar outros (do que acima foram oferecidos apenas alguns exemplos), vislumbram-se acentos diferenciados, perspectivas próprias, não redutíveis, no todo ou em parte, às pretensões expressas em *Missão Abreviada*. Pouco ou nada ajuda situar ambos os escritos sob o genérico "ideologia da Igreja Católica".[33] Mesmo o conceito "ortodoxia" é insuficiente para dar conta dos efeitos que a criatividade na assimilação da fonte, talvez a principal, terá sido capaz de produzir. A conclusão seguinte é mais acertada:

> Mesmo admitindo como verdadeiros os testemunhos que falam de trechos da *Missão Abreviada* usados pelo Conselheiro em suas instruções espirituais aos fiéis, é lícito pensarmos que ele se servia daquele livro mais como um meio para animar a oração da assembleia do que como fonte de pregação. Com efeito, para o apostolado da palavra ele dispunha de uma série de

---

[32] José Luiz Fiorin, "O Discurso de Antônio Conselheiro". *Religião e Sociedade*, Rio de Janeiro, n. 5, p. 118, 1980.
[33] Ibidem, p. 120.

sermões que havia preparado, escrevendo-os de próprio punho, num estilo completamente diferente do de Pe. Gonçalves Couto.[34]

O líder do Belo Monte bebeu do *Missão Abreviada*, mas também ele terá percebido que essa obra praticamente inviabilizava o acesso ao céu; seu empenho decidido e ousado e desenvolvia-se na direção contrária. Daí que suas prédicas e meditações salientem a gratuidade da ação amorosa de Deus, e a necessidade de corresponder a ela.

3. UM LIVRO CENTENÁRIO

Mas o que se disse até aqui é insuficiente. Desde Benício e Euclides até praticamente todos os estudiosos contemporâneos da temática, ninguém terá notado a presença decisiva de um outro livro como fonte literária para os *Apontamentos...* de Antonio Conselheiro e mesmo de seu outro caderno. Refiro-me aqui ao *Compêndio Narrativo do Peregrino da América*, de Nuno Marques Pereira (1652?-1733?). A rápida notícia que nos oferece Alfredo Bosi a respeito dessa obra serve de apresentação deste "curioso exemplo de prosa narrativa barroca":

> trata-se de uma longa alegoria dialogada, muito próxima do estilo dos moralistas espanhóis e portugueses que trocaram em miúdos os princípios ascéticos da Contra-Reforma. O objetivo do *Compêndio*, editado em 1718, é apontar as mazelas da vida colonial e "contar o como está introduzida esta quase geral ruína de feitiçaria e calundus nos escravos e gente vagabunda neste Estado do Brasil; além dos outros muitos e grandes pecados e superstições de abusos tão dissimulados dos que têm obrigação de castigar" (Prólogo). A esse ponto de vista são reduzidos os casos da terra, narrados pelas duas únicas "personagens" do livro: o Peregrino e o Ancião. A paisagem que serve de fundo aos diálogos é um misto de realismo e alegoria: ao

---

[34] Pietro Vittorino Regni, *Os Capuchinhos na Bahia*. Jesi, U. T. J., vol. 3, 1991, p. 100.

lado de indicações topográficas muito precisas estende-se o "território dos deleites", alteia-se o "palácio da saúde" e a "torre intelectual", servindo de saída a "porta do desengano".[35]

Na verdade, o aparecimento da obra e a trajetória de seu autor (não só as datas de seu nascimento e morte) são envoltos em muitas sombras e incertezas. Não se sabe se ele era baiano ou português, se padre ou não, embora a sua condição de brasileiro e leigo pareça mais provável aos analistas. O importante impacto produzido pela obra pode ser medido pelas edições dela que se sucederam em poucas décadas, sobre o que também pairam controvérsias: para Afrânio Peixoto o livro não saiu publicado primeiramente em 1718, como quiseram tantos e se viu Bosi afirmar, mas dez anos depois; depois disso mais quatro edições se seguiram, em 1731, 1752, 1760 e 1765. Um fenômeno editorial, sem qualquer dúvida. No entanto, curiosamente aí cessam as reedições: o fim daquele século e o seguinte não o veriam reaparecer; seria apenas em 1939 que uma sexta edição da obra seria produzida, com o acréscimo de um segundo volume que permanecia inédito até aquela oportunidade.[36] Nesse intervalo de mais de século e meio a obra "deixou mais marcas do que se pensava e menos do que se esperava, e o que se constata é que assim como apareceu, desapareceu da superfície. [...] Ficaram traços e a sua presença como um subtexto de cultura, motivando citações no universo das culturas populares e tradicionais".[37]

Uma ilustração expressiva dessa presença subterrânea do *Compêndio* são as referências a ele encontradas na obra-prima de Ariano Suassuna, seu romance *A Pedra do Reino*: nele o personagem Quaderna fala de Nuno Marques como seu mestre e precursor, já que seu livro bem poderia intitular-se *Compêndio Narrativo do Peregrino do Sertão...*

---

[35] Alfredo Bosi, *História Concisa da Literatura Brasileira*. 36. ed. São Paulo, Cultrix, 1994, p. 46-47.
[36] Nuno Marques Pereira, *Compêndio Narrativo do Peregrino da América*. 6. ed. Rio de Janeiro, Academia Brasileira de Letras, vol. 2, 1939. Ao primeiro volume desta edição, remeterão as notas e referências à obra, que aparecerão com a sigla CNPA, seguida da indicação do número da página.
[37] Jerusa Pires Ferreira, "Notas Preliminares para uma Leitura do *Compêndio Narrativo do Peregrino da América*, de Nuno Marques Pereira". *Revista USP*, São Paulo, n. 50, p. 20, 2001.

No entanto essa constatação, por importante que seja, é insuficiente. Uma questão empolgante permanece: como o volume tão difundido no século XVIII, mas não editado no posterior, terá chegado às mãos de Antonio Conselheiro? Para além de inúmeras conjecturas que poderiam ser feitas,[38] o que importa é que o *Compêndio* subjaz a muitas das páginas que compõem os *Apontamentos*..., e não apenas por alusões ou referências distantes. É de lá que são recolhidos o cuidado de Eneas para com seu velho pai, tantas citações de santos e teólogos, além de outras figuras da Antiguidade, e ainda as referências aos juízes de vara vermelha e de vara branca, entre tantas outras. A pergunta pelas inscrições da leitura deste livro na escrita do líder do Belo Monte se coloca inevitavelmente: encontrar-se-iam procedimentos e perspectivas similares àqueles que se salientou no tocante à *Missão Abreviada*?

3.1. O Peregrino do Sertão e o Peregrino da América

É preciso dizer desde logo que o cenário é outro, porque sob tantos aspectos são distintas uma obra e outra conhecidas do Conselheiro, embora a ambas coubesse a caracterização como expressões da "ideologia católica"... O *Compêndio* pretende advertir "contra os abusos que se acham introduzidos pela malícia diabólica no Estado do Brasil"; assim se lê nas folhas de rosto de todas as edições que a obra alcançou no século de seu aparecimento. Especificamente incomodava a seu autor o que se viu Bosi destacar: o que lhe soava demoníaca infiltração, nestas terras, de práticas rituais de matriz africana; ora, censura ele, o cativeiro a que os escravos foram submetidos só foi permitido

---

[38] Sobre a recepção do livro de Nuno Marques, veja Maria Francelina Silami Ibrahim Drummond, *Leitor e Leitura na Ficção Colonial*, Ouro Preto, LER, 2006, p. 82-89. Mas, informa a autora, um detalhe fundamental comprometeria a fortuna crítica da obra: "em 1793, o veto da Real Comissão para Exame de Livros censurava e proibia nova edição do *Peregrino da América*, extinguindo, assim, a trajetória de um livro bem-sucedido" (p. 139). Associado ao obscurantismo que nos tempos de Pombal se atribuía ao jesuitismo, o livro adentra o século do Conselheiro sem mais ser editado: suspeito e vetusto, de épocas cujo espírito se pretendeu apagar, continuou a circular. No entanto, a autora ignora que Antonio Maciel era conhecedor do *Peregrino da América*.

por decreto papal "com o pretexto de serem trazidos à nossa Santa Fé Católica, tirando-se-lhes todos os ritos, e superstições Gentílicas, e ensinando-se-lhes a doutrina Cristã". E continua:

> [...] como se lhes pode permitir agora [aos escravos], que usem de semelhantes ritos, e abusos tão indecentes, e com tais estrondos, que parece que nos quer mandar o Demônio mandar tocar triunfo ao som destes infernais instrumentos, para nos mostrar como tem alcançado vitória nas terras, em que o verdadeiro Deus tem arvorado a sua Cruz à custa de tantos Operários, quantos têm introduzido neste novo mundo a verdadeira Fé do Santo Evangelho? (CNPA, p. 125)

Esse fragmento é sumamente adequado às considerações que aqui cabe fazer. Tanto Nuno Marques, nos primórdios do século XVIII, como o Conselheiro em fins do seguinte, preocupam-se com a pureza da fé católica, cuja expressão máxima é a cruz, com a adesão decidida a ela, e com a ação do demônio que impõe obstáculos a que tais propósitos sejam alcançados. Ambos escrevem na perspectiva da salvação, ambos se veem peregrinos nesta terra já que, segundo Pereira, "a verdadeira pátria é o céu" (CNPA, p. 21); teria o Conselheiro algo a objetar quanto a isto?

Mas, também aqui, cabe não ter pressa em concluir. Certamente ao Conselheiro terá soado estranha a naturalidade com que no *Compêndio*... se fala de senhores e escravos, do cativeiro como indispensável instrumento para a doutrinação, embora se censurem os maus-tratos que os primeiros impõem aos segundos.[39] Em vão se procuraria nos *Apontamentos*... algo do tom expresso nas linhas seguintes:

> Nem vos meta desconfiança a vossa cor preta e seres [sic] humildes e desprezados no mundo por pobres, porque este é o meio por onde se alcança

---

[39] "Queixam-se muitos senhores, que lhes fogem os escravos e lhes morrem; sendo que muitos escravos com maior razão se podiam queixar de seus senhores, pelos terem em suas casas, tratando-os tão mal" (CNPA, p. 157).

o Reino do Céu. [...] Assim vos peço que vos não desconsoleis, quando vos vires [sic] mais pobres, rotos e castigados por vossos senhores: então cresça mais a vossa confiança em Deus [...] (CNPA, p. 151-52).

E nesse capítulo, que trata do mandamento divino de "guardar os domingos e festas", seria maior falta fugir de um senhor que manda trabalhar em dias de guarda do que deixar de cumprir os deveres religiosos a eles relacionados...

Falas desse teor se multiplicam no *Compêndio*, e são totalmente ausentes dos *Apontamentos*... não só porque no tempo do Conselheiro não havia mais (formalmente) escravos no Brasil. Mas há mais. Também seria inútil buscar qualquer referência depreciativa a práticas religiosas de origem africana, mescladas ou não com rituais católicos e/ou de matriz indígena, certamente abundantes e variadas nos vários cantos que Antonio Maciel tão bem conhecia de seus quase vinte anos de andanças, e presentes inclusive no seu Belo Monte.

Essas constatações, que poderiam ser acrescidas de outras tantas, só tornam mais desafiadora a análise; com efeito, a dependência que os *Apontamentos*... manifestam frente a conteúdos expostos no *Compêndio* é indiscutível; é necessário saber qualificá-la. Na impossibilidade de uma apreciação exaustiva, apresento a seguir duas situações, e delas sugiro possíveis encaminhamentos. Trata-se de um campo a ser muito mais devassado, para além do que as próximas linhas apontam.

3.1.1. O Matrimônio, sob Focos Distintos

Um primeiro exemplo é fornecido pela meditação que, no escrito assinado pelo Conselheiro, se intitula "Como Adão e Eva Foram Feitos por Deus: O que lhes Sucedeu no Paraíso até que Foram Desterrados Dele por Causa do Pecado" (APDL, p. 165). Pois bem: o teor dessa meditação reproduz, praticamente por inteiro, o capítulo VIII do *Compêndio*; são, efetivamente, poucas e de menor importância as alterações que, em sua cópia, o Conselheiro faz em relação ao texto do qual se está apropriando. Exceto a última: nos *Apontamentos*... o texto amplia-se algumas linhas adiante de onde Pereira encerra o seu. Vejamos:

Compêndio	*Apontamentos...*
E finalmente à hora nona, isto é, às três depois do meio-dia, vestindo Deus Adão e Eva com túnicas de pele de animais, os desterrou daquele lugar e os levou à Judeia, junto ao Hebron, serrando-lhes as portas do Paraíso e pondo diante dele um Querubim com uma espada de fogo, para guardar o caminho da árvore da vida (p. 98).	E finalmente à hora nona, isto é, às três depois do meio-dia, vestindo Deus Adão e Eva com túnicas de pele de animais, os desterrou daquele lugar e os levou à Judeia, junto ao Hebron, serrando-lhes as portas do Paraíso e pondo diante dele um Querubim com uma espada de fogo, para guardar o caminho da árvore da vida. Agora é preciso advertir que antes de ter dado Deus o estado de Matrimônio a Adão não lhe disse que criasse e multiplicasse, por estar sendo solteiro: E só depois que o constituiu no estado de casado lhe concedeu a propagação. Assim pois convencei-vos que foi o casamento de Adão um dos mais preciosos que houve, nem pode haver, pois que teve todos os requisitos de verdadeiro desposório. Neles se contraíram as vontades entre os dois contraentes, por não haver mais que desejar, nem apetecer: houve assistência do mais Perfeito Pároco, que foi Deus, Padre Eterno: teve testemunhas que foram os Cortesãos dos Céus, Espíritos Angélicos. Fizeram-se finalmente todas as outras cerimônias, que se observam hoje na Lei da Graça, porque também tiveram as bênçãos de que a Igreja usa com os desposórios. E deste modo foi solenemente casado e recebido Adão com Eva, como a essa imitação manda a Santa Madre Igreja de Roma, e dispõe o Sagrado Concílio Tridentino (p. 172-73).

Mas esse acréscimo a respeito do matrimônio também é tomado de empréstimo ao *Compêndio*, de outro capítulo, referido ao sexto mandamento do Decálogo, que trata do "pecado da fornicação" (CNPA, p. 218).[40] O parágrafo que será recolhido nos *Apontamentos...* cumpre, discursivamente, o papel de estabelecer a única condição em que a vida sexual ativa pode ocorrer "sem a mínima sobra de pecado" (APDL, p. 220).

E justamente esse particular enseja a constatação de como opera o leitor-autor Antonio Conselheiro. Sem pretender discordar de Pereira (muito pelo contrário!), ele desloca a consideração sobre o matrimônio: de antídoto contra o pecado para a perspectiva maior da criação divina e de sua ordenação. Com isso ele não só encerra sua meditação com a referência ao perfeito pároco e o casamento mais vistoso que se pudera imaginar – e não com a nota deplorável sobre a expulsão do paraíso –, como também salienta a continuidade da obra criadora de Deus que pela multiplicação do gênero humano se realiza. O deslocamento de foco é sutil, mas expressivo. Os focos e as preocupações do Conselheiro desenvolvem-se a partir de matrizes distintas, e lhe permitem fazer com esse conteúdo – feito novo a partir de material anterior – algo que nem de longe passou pela imaginação de Nuno Marques: abrir o que denominei "Sequência Bíblica", centrada na aliança mosaica do Sinai.

3.1.2. O Respeito ao Primeiro Mandamento

Passo agora a outro exemplo, que remete ao primeiro mandamento do Decálogo. E aqui se pode sugerir um rápido exercício sobre como nos *Apontamentos...* ecoam dizeres advindos tanto do *Compêndio* como da *Missão Abreviada*, e como ao mesmo tempo se estabelecem distanciamentos significativos em relação a esses mesmos dois livros. Começo com o foco na instrução de Gonçalves Couto, que se intitula "Sobre o Amor de Deus". Eis o início de cada um dos textos, praticamente idêntico:

---

[40] Também no *Compêndio* se encontram considerações a respeito de cada um dos dez mandamentos, em sequência.

Missão Abreviada	*Apontamentos...*
O primeiro mandamento da Lei de Deus consiste em amar a Deus sobre todas as coisas, de todo o coração, com toda a alma e com todo o entendimento. Assim respondeu o Divino Mestre a um dos doutores da Lei, estando ele a ensinar no templo (p. 398).	Amarás o Senhor teu Deus de todo o teu coração e de toda a tua alma, e de todo o teu entendimento. Este é o máximo e o primeiro Mandamento. (Math. Cap. 22 v. 38.) Assim respondeu o Divino Mestre a um dos Doutores da Lei; estando ele ensinando no Templo. (p. 3)

Desse postulado Gonçalves Couto extrai as consequências lógicas:

[...] deveis amar a Deus [...] porque Deus é um Bem infinito, é um Bem imenso, é um Bem acima de todos os bens [...] amá-lo mais do que os vossos pais [...] do que os vossos amigos, mais do que as vossas riquezas, mais do que os vossos prazeres, mais do que tudo quanto há no mundo e fora do mundo. Vós quando pecais ofendeis a Deus, deixais a Deus [...]. Nós temos uma obrigação rigorosa, com a pena de condenação eterna, de amar a Deus sobre tudo [...]. Que vemos nós? Todos os dias a fazer Atos de amor de Deus, e todos os dias a ofender a Deus [...] (MA, p. 398-400).

Pois exatamente aqui ganha a justa avaliação algo que já notado no comentário anterior sobre a primeira prédica lida em *Apontamentos...*, uma inversão radical de perspectivas, à medida que o texto, imediatamente após enunciar o referido preceito, passa a considerar a grandiosidade do amor de Deus pela humanidade, em relação a que o amor dos humanos será a única resposta razoável. Afinal de contas, diante das "invenções do amor de nosso Deus para se fazer amar dos homens", qual não será a reação adequada? Numa comparação grosseira, o amor a Deus, segundo a *Missão Abreviada*, é obrigatório, e se justifica pela imensidão e infinitude do Bem que Deus é; nos *Apontamentos...* pede-se o amor em retribuição a quem amou primeiro:

Vede, ó almas resgatadas, nos diz a Igreja, vede o vosso Redentor sobre esta Cruz, onde tudo n'Ele respira o amor, e vos convida a amá-lo; com a cabeça inclinada para nos dar o beijo da paz, os braços abertos para nos abraçar e o coração aberto para nos amar. Oh! Bom Jesus, que fazendo tantos prodígios de amor, não pode ainda ganhar os nossos corações? Como depois, de nos haver amado tanto, não chegou ainda a fazer-se amar por nós? (APDL, p. 8)

Menciono ainda esse outro fragmento, que aponta na mesma direção:

A minha Justiça, disse Deus a Santa Madalena de Pazzi, se há mudado em Clemência pela vingança que tenho exercido sobre a carne inocente de Jesus Cristo. O Sangue de meu Filho não me pede vingança como o de Abel; ele me pede pelo contrário misericórdia e compaixão; e a esta voz a minha Justiça não pode deixar de apaziguar-se: este Divino sangue me liga as mãos, de sorte que não pode, por assim dizer, usar delas para tirar dos pecados a vingança que tinha resolvido (APDL, p. 63-64).

Ir-se-ia longe se fosse o caso de arrolar aqui os testemunhos dessa novidade radical, que fica ainda mais salientada quando se coteja o texto que leva o nome do Peregrino com sua fonte indiscutível, a *Missão Abreviada*. E toma-se essa prédica, sobre o amor a Deus como resposta ao amor de Deus, como grande abertura, indicadora da perspectiva fundamental sugerida pelos *Apontamentos...*, compare-se isto com o que abre a *Missão Abreviada*, citado algumas páginas atrás!

Agora é o momento de considerar o texto dos *Apontamentos...* na referência à sua fonte advinda do século XVIII. É justamente no comentário ao primeiro mandamento que o *Compêndio* ancora sua abordagem crítica aos rituais de matriz africana, já apontada anteriormente; vale a pena conhecer mais este fragmento:

Perguntou-me [o dono da casa em que o Peregrino se encontrava hospedado] como havia eu passado a noite? Ao que lhe respondi: Bem de agasalho, porém desvelado; porque não pude dormir toda a noite. Aqui acudiu ele logo, perguntando-me, que coisa tivera? Respondi-lhe que fora procedido do estrondo dos tabaques, (1) pandeiros, canzás, (2) botijas, e castanhetas; com tão horrendos alaridos que se me representou a confusão do Inferno. (3) [...] Senhor, (me disse o morador) se eu soubera que havíeis de ter este desvelo, mandaria que esta noite não tocássemos pretos seus Calundus (CNPA, p. 123).

Informado do que seriam esses tais calundus, o peregrino dirige a seu anfitrião ruidosa censura:

[Senhor,] me dais motivo para não fazer de vós o conceito, que até agora fazia; pois vos ouço dizer que consentis na vossa fazenda, e nos vossos escravos coisa tão supersticiosa, que não estais menos que excomungado, e os vossos escravos; *além de seres transgressor do primeiro Mandamento da Lei de Deus*. [...] além de teres pecado mortalmente no *primeiro Mandamento da Lei de Deus*, estais excomungado, e todos os vossos escravos, e [sic] consentires em semelhantes superstições contra o mesmo Mandamento (CNPA, p. 124; os destaques são meus).

No parágrafo seguinte a formulação é próxima ao que se encontrará no início da meditação conselheirista, que, no entanto, não acompanhará sua fonte no que vai logo adiante:

Porque haveis de saber que este preceito de amar a Deus é (como diz S. Mateus, *cap.* 22, *vers.* 38) o primeiro e o maior Mandamento. Por este preceito se proíbe e condena todo o culto dos Ídolos, e superstições, e uso da arte mágica; e se manda guardar tudo o que pertence à verdadeira Religião (CNPA, p. 124).

E da denúncia da idolatria perpetrada pelos africanos o peregrino faz desembocar seu discurso, não sem surpresa para um leitor desavisado, em temáticas referentes ao sexto mandamento: calundus e fornicação configuram, separadamente e em conjunto, idolatrias: os primeiros desviam do culto ao Deus verdadeiro; pelo meretrício e pelo adultério "as criaturas racionais se idolatram umas às outras" (p. 132). Seria empreitada inútil procurar nos *Apontamentos...* essas obsessões: outras são as que os inspiram.

3.2. Apreciação

Mal podia imaginar Sílvio Romero, quando em 1888 escrevia que o livro de Nuno Pereira havia caído no total desconhecimento popular, que justamente naqueles tempos alguns de seus conteúdos pululavam na mente e nos ardores de um líder sertanejo do qual faz menção em seu trabalho, e que em breve se poria a construir uma cidade, a escrever e a atrair sobre si e sua obra toda sorte de hostilidade e ódio...[41]

Os dois exemplos citados permitem constatar uma dependência bastante grande do texto do peregrino do século XVIII na configuração de conteúdos importantes dos *Apontamentos...* do não menos peregrino de século e meio depois. São páginas e mais páginas em que os paralelos se manifestam, talvez numa proporção maior do que se encontraria na relação destes com a *Missão Abreviada*. Mas a dependência é em relação ao texto, à letra, não ao espírito que anima o escritor do século XVIII. O Conselheiro não precisa, como necessitou seu antecessor, pedir licença aos moralistas – e principalmente à Bíblia! – para "tocar neste primeiro Mandamento [sobre o amor a Deus] o que pertence ao sexto [sobre a fornicação]". Isto pela "razão de se encerrarem neste todos os dez" (CNPA, p. 132). Seguramente ao responsável pelos *Apontamentos...* não caberia tal afirmação, e não porque ele não tivesse consciência da gravidade das questões abrangidas neste fatídico preceito...

Comentando as dependências e independências que o caderno publicado por Ataliba Nogueira manifesta frente ao livro de Gonçalves Couto, Alexandre Otten sugere algo que eventualmente pode ser aplicado também aqui, para

---

[41] Sílvio Romero. *Estudos sobre a Poesia Popular do Brasil*. Rio de Janeiro, Lammert & C., 1888, p. 21-22 (sobre o Conselheiro) e p. 343-51 (a respeito do livro de Nuno Marques).

aquilatar a novidade representada pelos *Apontamentos*... frente a suas fontes: o Conselheiro é tomado de uma "teologia amorosa" que ele bebe dos ensinamentos de padre Ibiapina, feitos de palavras e ações. Tal inspiração ainda está por ser melhor verificada e avaliada,[42] e talvez possa explicar muita coisa; não são poucos os enigmas, no entanto, que perduram. De todo modo, o deslocamento que de formas diversas os textos dos *Apontamentos*... sugerem frente a pelo menos duas de suas fontes literárias mais importantes deve ser considerado no momento em que se fizer a pergunta pela articulação que eles revelam com o projeto que se buscou materializar em Belo Monte. Exatamente a questão que um comentarista se julgou incapaz de responder e outro tratou de evitar, justamente porque não se deram conta de que, de alguma forma, a produção literária remetida ao Conselheiro apontava para possibilidades que o vago "ideologia da Igreja Católica" não dava conta de perceber.[43] E a questão

---

[42] Alexandre Otten, op. cit., p. 284-85. José Antonio Maria Ibiapina (1806-1883), ordenado padre depois de exercer vários cargos públicos, passa grande parte do seu ministério sacerdotal entre os pobres do sertão nordestino, construindo casas de caridade, ao mesmo tempo que atacava os maçons e praticantes do vício. Segundo muitos autores, inclusive Otten, a influência de Ibiapina sobre o Conselheiro, embora não constatada por um contato direto, é indiscutível (veja *Só Deus é Grande*..., p. 265-73). Uma biografia de Ibiapina pode ser encontrada em Sadoc de Araújo, *Padre Ibiapina, Peregrino da Caridade*. São Paulo, Paulinas, 1996, que, no entanto, tende a minimizar o impacto da ação de Ibiapina sobre o futuro líder de Belo Monte.

[43] Refiro-me aqui inicialmente a Francisco Benjamin de Souza Netto, que, na primeira resenha sobre o conteúdo do caderno publicado por Ataliba Nogueira, assim se expressa: "a coerência entre o seu [do Conselheiro] 'discurso' e a sua 'obra' aparece-nos como uma questão insuscetível de ser resolvida na base de estereótipos pré-fabricados. É toda a história como devir da consciência do nordestino, das formas religiosas desta consciência, que emerge como problema irresolvido" (*Simpósio*, São Paulo, n.13, p. 37, 1975). E também ao já citado José Luiz Fiorin, que em seu trabalho sobre o mesmo conteúdo publicado se recusa a "estudar a *práxis* do Conselheiro [...]. Não há aqui preocupação em saber se o dizer e o fazer do beato são concordes" (*A Ilusão da Liberdade Discursiva: Uma Análise das Prédicas de Antônio Conselheiro*. Faculdade de Filosofia, Letras e Ciências Humanas da Universidade de São Paulo, 1978, p. 10. Dissertação de Mestrado).

a que o trabalho seminal de Duglas Teixeira Monteiro já permitia bom encaminhamento.⁴⁴ Mas voltarei a isso no capítulo seguinte. Por enquanto basta salientar, para efeito de síntese, como do "primeiro" e "maior mandamento" o peregrino que assina os *Apontamentos*... pode encontrar e ler (ao menos) dois entendimentos distintos e, na combinação que fez deles, redigir um terceiro. Foi este último que, ao soar das latadas do Belo Monte, fez eco nos ouvidos e corações da gente que para lá se deslocou.

4. UM HOMEM "BIBLADO"

As obras de Nuno Marques Pereira e Manoel José Gonçalves Couto não contêm, nas muitas centenas de páginas que compõem cada uma delas, algo que possa ser tomado como fonte inspiradora imediata para a seção "Textos" encontrada nos *Apontamentos*... Como verificado, tal seção é feita fundamentalmente de versículos bíblicos, citados em latim e sua tradução para o português, apenas em latim e alguma paráfrase deles em português, ou apenas nesta última língua. A essa altura das investigações, mesmo que se deva supor, também para esta seção, alguma fonte escrita (ainda não identificada), é à própria Bíblia que, em última instância, aqui se recorre. Mas não é só: são inúmeras as citações de passagens bíblicas no conjunto das prédicas que transcrevemos, e evidencia-se inclusive o esforço, de resultado variado, dados os enganos e as imprecisões, em se fazer o registro dos versículos citados. Sem contar a transcrição interrompida do Novo Testamento, que evidentemente exige que algum exemplar da Bíblia (ou ao menos do Novo Testamento) tenha circulado por algum tempo em Belo Monte entre os livros à disposição do Conselheiro.

Já se tratou anteriormente de algumas das questões que possibilitam fazer agora as perguntas mais importantes sobre a presença da Bíblia no ideário

---

⁴⁴ Duglas Teixeira Monteiro, "Um Confronto entre Juazeiro, Canudos e Contestado". In: Boris Fausto (org.), *História Geral da Civilização Brasileira*. 4. ed. Rio de Janeiro, Bertrand Brasil, t. 3, vol. 2, 1990, p. 39-92, especialmente p. 68-70.

religioso que emerge dos *Apontamentos*... Por isso passo diretamente a elas, apenas recordando que nos testemunhos sobre as leituras do Conselheiro nenhum deles menciona a Bíblia como uma delas. Mas ele pareceu a seus contemporâneos um "homem biblado", alguém que, pelo menos desde 1874, "lia direto" a Bíblia.[45] Que invenções podem aqui ser identificadas? Entre as diversas possibilidades que se nos apresentam, considero aquelas prédicas que agrupei com o título "Sequência Bíblica" e a seção "Textos".

Outra observação, antes de passar à análise. É preciso conceber o que significa encontrar o escritor dos *Apontamentos*... manuseando um exemplar da Bíblia, um ato que poderia parecer corriqueiro, dadas as possibilidades (não universais, é claro!) de acesso a esse livro que hoje se apresentam. É preciso ter em conta o cenário do Brasil sertanejo da segunda metade do século XIX em relação ao acesso à Bíblia. Feitas as devidas ressalvas e ajustes, uma situação análoga a essa que aqui se deve imaginar é sugerida por Pierre Gibert ao remeter-se ao século XVII, época em que efetivamente a difusão do livro impresso alcançou grande incremento. Mas o importante é pensar em que tal contexto possibilitou que a Bíblia com seu conteúdo fosse recebida não apenas por meio da pregação, em meio à liturgia celebrada num espaço sagrado previsível, mas como um "texto colocado em cima da mesa",[46] que pode ser folheado, observado, inquirido, enfim, lido. Há que se pensar em que a presença do texto bíblico nos *Apontamentos*... resulte tanto do que se escutava na proclamação litúrgica como do que deriva das leituras, não só do exemplar da Bíblia, mas de outras obras que, ao recolherem enunciados bíblicos, nos inserem em tramas textuais direcionadas em termos interpretativos e pragmáticos. Que tenha "isolado" aqui

---

[45] José Calasans, "Belo Monte Resiste". *Revista da Bahia*, Salvador, n. 22, p. 47, 1997. Calasans atribui a expressão "biblado" a "um homem de Masseté", vilarejo ao qual já se fez referência. Outro depoimento, também recolhido por Calasans, indica que o Conselheiro seria "inteligência superior e conhecedor da leitura da Bíblia" (citado por Bartolomeu de Jesus Mendes, *Formação Cultural e Oratória de Antônio Conselheiro*. Salvador, BDA-Bahia, 1997, p. 35, nota 52).

[46] Pierre Gibert, *Pequena História da Exegese Bíblica*. Petrópolis, Vozes, 1995, p. 150.

os momentos principais em que a presença do texto bíblico se mostra de forma mais evidente ou importante, trata-se de uma deliberação que faço para lançar sobre eles um olhar mais cuidadoso, sem descuidar de que, mais uma vez, compõem enredos mais amplos e complexos e derivam de múltiplas fontes, orais e escritas.

4.1. Temas Bíblicos

Os significados específicos de cada uma das prédicas (encontradas entre as p. 165 e 234 dos *Apontamentos*...) que expõem, resumem ou desenvolvem passagens e episódios bíblicos já foram apresentados, e não preciso voltar a eles. Mas quero sublinhar os procedimentos básicos pelos quais terá sido possível a atribuição de tais significados. Isso tornará possível, ao fim, uma visão de conjunto sobre essa série de prédicas.

Não terá passado despercebido que tais prédicas versam, todas elas, sobre temas da Bíblia judaica, conhecida então como Velho Testamento. É preciso, portanto, salientar em qual perspectiva tais enredos são assumidos, no interior do cristianismo católico sertanejo, na forma registrada pelos *Apontamentos*...

4.1.1. Os Pressupostos

Verificou-se, quando da apresentação das referidas prédicas, que em grande parte delas elementos importantes da narrativa foram colocados em conexão com realidades do Novo Testamento ou da doutrina cristã, das quais funcionavam como prefigurações. Costuma-se qualificar esse tipo de leitura como sendo basicamente "tipológica", com alguns desdobramentos, aos quais também haverei de referir-me.

Sem entrar nas formas propriamente judaicas de ler os textos sagrados em chave tipológica, considero aqui o conjunto da Bíblia cristã, no interior do qual essa prática de leitura se coloca, particularmente quanto ao estabelecimento das relações entre as duas partes básicas que a compõem. No Novo Testamento já se encontram exemplos que inspirarão os exercícios interpretativos cristãos posteriores, nessa mesma chave. Com efeito, é comum encontrar referências a Paulo como o escritor "cristão" que inaugura esse modo de interpretar a Escritura judaica. O exemplo mais típico é encontrado em 1 Coríntios 10,1-4:

> Porque não quero, irmãos, que vós ignoreis, que nossos pais estiveram todos debaixo da nuvem, e que todos passaram o mar. E todos foram batizados debaixo da conduta de Moisés na nuvem e no mar. E todos comeram de um mesmo manjar espiritual. E todos beberam de uma mesma bebida espiritual, porque todos bebiam da pedra misteriosa, que os seguia: e esta pedra era Cristo.

O que aqui importa é justamente a identificação da bebida que saciou os hebreus na travessia do deserto nada menos que com o próprio Cristo:

> é claro que Paulo aqui raciocina conscientemente em função do alcance simbólico dos dados "históricos". Assim, estas realidades antigas, como são relatadas nos livros do Êxodo e dos Números, não são compreendidas unicamente em relação ao passado e ao Israel histórico dos quais dependem; elas se tornam *figuras* [ou *tipos*, pode-se acrescentar] de realidades então vindouras das quais os cristãos depois fizeram experiência em Cristo.[47]

A leitura tipológica, pela qual elementos dos textos da Bíblia judaica são vistos como prefigurações, imagens antecipadas de uma realidade futura associada a Jesus e ao cristianismo, foi uma prática comum de leitura dos textos da Bíblia judaica, e seu princípio básico é o seguinte: "Na Bíblia há acontecimentos, coisas e pessoas que prefiguram, quais alusões na penumbra, uma realidade visível só no nível superior da Redenção. A figura alusiva é o *tipo* (ou protótipo), a realidade é o *antítipo*".[48] Nessa perspectiva algumas distinções são possíveis, como aquela entre antítipo e *teleótipo*: antítipo

---

[47] Pierre Gibert, op. cit., p. 82 (destaque do autor).
[48] Josef Scharbert, *Introdução à Sagrada Escritura*. 3. ed. Petrópolis, Vozes, 1980, p. 174.

exprime uma oposição entre figura e realidade; Adão e Cristo: Adão causou a morte, Cristo a Vida [...]. Teleótipo [...] exprime o fato do Novo Testamento como cumprimento e aperfeiçoamento da figura vétero-testamentária. Assim, Páscoa cristã é o teleótipo da Páscoa judaica, ou seja, a libertação da escravidão do pecado e da morte é mais sublime do que a libertação da escravidão egípcia.[49]

Alimentada da polêmica antijudaica, que pretendia mostrar que os escritos da primeira aliança só adquiriam seu sentido pleno quando lidos à luz do Novo Testamento, e também do dualismo platônico e neoplatônico que distingue e opõe mundo sensível e mundo inteligível, a leitura tipológica da Escritura marcará de forma decisiva a elaboração teológica cristã ao longo dos séculos, havendo de ser colocada em xeque, enquanto prática comum, apenas com o advento das críticas histórica e literária, aplicadas à Bíblia. Sirva de exemplo concreto o que se diz quanto ao já citado texto de 1 Coríntios 10,1-4, no exemplar da Bíblia que terá sido utilizado por Antonio Conselheiro:

a) a respeito da nuvem e do mar: ambos "foram figuras do Batismo, que Jesus Cristo havia de instituir. Para o que é muito crível [...] que os Israelitas fossem alguma vez borrifados de algumas gotas d'água que caíssem da nuvem, e de algumas do Mar Vermelho, quando divididas as suas águas".

b) sobre o "manjar espiritual": "Chama o Apóstolo espiritual o manjar, e espiritual a bebida dos israelitas no deserto, sendo que tanto o maná, como a água, eram umas criaturas materiais, e corporais: porque não as considera em si, mas no que significavam, que era o Corpo e Sangue de Cristo sacramentado".

c) sobre a "pedra misteriosa": o que ela "significava era Jesus Cristo. O qual como pedra firmíssima sustenta a sua Igreja e com o sangue, que de si verteu, inundou o Mundo de enchentes de graças".[50]

---

[49] Ibidem, p. 174-75.
[50] *A Bíblia Sagrada Contendo o Velho e o Novo Testamento*. Lisboa, Typografia de José Carlos de Aguiar Vianna, vol. 2, 1853, p. 930.

A leitura tipológica adquire melhor compreensão quando posta à luz de um cenário expresso classicamente por Agostinho na famosa expressão: *"Novum in Vetere latet, et in Novo Vetus patet"* ["O Novo [Testamento] está latente no Velho, e no Novo o Velho está patente"]. E pode-se ampliar o horizonte, para se perceber que inclusive realidades posteriores ao Novo Testamento (mas ao menos sugeridas nele) encontram sua prefiguração nos textos da Bíblia judaica.

Vale ainda, nesse contexto, citar a expressão de Hugo de São Vítor, teólogo do século XII: *"Omnis Scriptura divina unus liber est, et ille unus liber Christus est, quia omnis Scriptura divina de Cristo loquitur, et omnis Scriptura divina in Cristo impletur"* ["Toda a Escritura divina é um único livro, e este livro único é Cristo, porque toda Escritura divina fala de Cristo, e toda Escritura divina se cumpre em Cristo"]. Essa citação traz à tona outro pressuposto indispensável para se compreender o sentido e as razões da leitura tipológica: a percepção da Escritura como uma unidade, algo expresso magistralmente numa página de Antonio Vieira que aqui me permito transcrever, página que justamente expõe o que permitiria a compreensão de seus escritos proféticos, e o desentendimento destes por não se considerar o seu pressuposto fundamental:

> Quanto aos Doutores modernos, primeiramente, muitos deles (& mais os mais modernos) não tratam de tirar das *Escrituras* mais que as flores & as folhas, & algumas vezes os frutos, deixando totalmente as raízes, nas quais se deve cavar muito & com muito exercício, tempo, estudo & trabalho, para colher delas o sentido sólido e verdadeiro, e o que o Espírito Santo nelas nos quis ensinar, como nos ensinou, & mandou Cristo que o fizéssemos, quando disse: *Scrutamni Scripturas* [Perscrutai as Escrituras]. Outros Doutores, que mais professam o sentido literal, fazem nesta ciência da Teologia expositiva o que também é muito ordinário nas outras, estudando o já estudado, & escrevendo o já escrito, & tomando a água nos regatos, por se não cansarem de a ir buscar à fonte. [...] Outros professam em tudo seguir aos Antigos [...] & estes não podem dizer mais que o que já tinham dito os primeiros. [...] Outros há [...] que se contentam com explicar a *Escritura*,

verso por verso, muito eruditamente & com grande aplauso dos leitores (que comumente só vão buscar a exposição do verso, & rarissimamente leem todo o livro). E como não atendem ao que fica atrás & vai adiante, falam sem coerência nem verdade, & em lugar de explicar as *Escrituras*, as confundem & escurecem mais [...]. E para esta concórdia e consonância não só é necessário ajustar o capítulo, nem só ajustar o livro, senão *ajustar toda a mesma Escritura inteira; o que se não faz nem pode fazer, sem compreensão de toda ela, & grande estudo, continuação & trabalho.*[51]

A percepção da unidade da Escritura, que pode resultar difícil a olhares desavisados, mesmo de doutores, é indispensável para que dê a devida avaliação a outra prática de leitura dela que se viu disseminada ao longo da história. Trata-se de uma variação da tipologia, ou uma sofisticação dela, a alegoria.[52] E, mais uma vez, Paulo nos apresenta um caso exemplar. Numa passagem da carta aos gálatas (4,22-24) o próprio termo aparece; vejamos: "Porque está escrito; Que Abraão teve dois filhos, um de mulher escrava, e outro de mulher livre. Mas o que nasceu da escrava, nasceu segundo a carne: e o que nasceu da livre, nasceu por promessa: as quais coisas foram ditas por alegoria. Porque estes são os dois testamentos [...]".

A alegoria consiste, nesse caso, em que as duas mulheres de Abraão são tomadas como expressões das duas alianças estabelecidas por Deus com a humanidade: a de Moisés (representada pela mulher escrava, Agar) e a de Jesus (representada pela mulher principal, Sara). Ele ilustra bem a alegoria como "metáfora continuada como tropo de pensamento, e consiste na substituição do pensamento em causa por outro pensamento, que está ligado, numa relação de semelhança, a esse primeiro pensamento".[53] Em outras palavras, enquanto a

---

[51] Antonio Vieira, *Defesa Perante o Tribunal do Santo Ofício*. Salvador, Progresso, vol. 1, 1957, p. 227 (o último destaque é meu).
[52] Segundo De Lubac, a distinção entre alegoria e tipologia é recente, não tendo um século e meio de existência (*A Escritura na Tradição*. São Paulo, Paulinas, 1970, p. 23-24).
[53] Heinrich Lausberg, citado por João Adolfo Hansen, *Alegoria: Construção e Interpretação da Metáfora*. Campinas, Hedra / Editora da Unicamp, 2006, p. 7.

tipologia supõe uma correspondência entre "a" e "b", fala-se apropriadamente de alegoria quando essas correspondências são muitas (a e b, a' e b', etc.).

Nesse campo também cabe uma distinção, trazida por Hansen: há a "alegoria dos poetas", técnica pela qual abstrações são representadas e personificadas; e a "alegoria dos teólogos", um modo "de interpretação religiosa de coisas, homens e eventos figurados em textos sagrados [...] um modo de entender e decifrar".[54] É exatamente essa modalidade que aqui interessa. Acompanho um pouco mais a exposição do intelectual brasileiro:

> Os termos das *Escrituras* designam coisas, homens e acontecimento e estes, por sua vez, significam verdades morais, místicas, escatológicas. Por isso a prática interpretativa dos primeiros Padres da Igreja e da Idade Média *lê* coisas como *figuras* alegóricas – e não as palavras que as representam – para nelas pesquisar o sentido espiritual.[55]

É sabido que Orígenes e a escola de Alexandria, mesmo sofrendo vigorosa oposição de alguns setores cristãos de seu tempo, deram ao método alegórico amplo desenvolvimento.[56] E ele veio a se impor ao longo da história da teologia, da mística e da pregação cristãs, incluída que foi no quadro dos quatro sentidos da Escritura, tornado clássico no início do segundo milênio cristão: *"Littera gesta docet, quid credas allegoria, moralis quid agas, quo tendas anagogia"* ["A letra ensina o que aconteceu; a alegoria, o que deves crer; a moral, o que deves fazer; a anagogia, para onde deves caminhar"]. Pierre Gibert assim o explica:

> o sentido primeiro, ou *sentido literal* (ou ainda sentido histórico) diz os fatos e os acontecimentos; o *sentido alegórico* exprime as verdades

---

[54] João Adolfo Hansen, op. cit., p. 7-8 (citação da p. 8).
[55] Ibidem, p. 91.
[56] Henri de Lubac, *Histoire et Esprit: L'Intelligence de l'Écriture d'Après Origène*. Paris, Aubier, 1950; para uma síntese, Pierre Gibert, op. cit., p. 105-14; David S. Dockery, *Hermenêutica Contemporânea à Luz da Igreja Primitiva*. São Paulo, Vida, 2005, p. 73-98.

teológicas ou cristológicas do texto primeiramente percebido no seu sentido literal (ou histórico); o *sentido moral*, ou ainda "tropológico", diz aquilo que o crente deve fazer, como deve agir em função de sua fé; quanto ao *sentido anagógico*, ele orienta para os fins últimos, para o além da vida, como numa espécie de contemplação antecipada característica da vida eterna [...].[57]

Desses sentidos, continua Gibert, o mais importante acabou por ser o alegórico, ao ditar ao cristianismo o conteúdo de sua fé. Pode ser útil ainda destacar que os três últimos sentidos são tomados como desdobramentos daquilo que, de forma mais geral, é conhecido como "sentido espiritual" da Escritura,[58] perante o qual o sentido literal será tido como pouco importante.[59]

Tipos, alegorias, unidade da Escritura: eis alguns fundamentos e perspectivas do universo imaginário católico a partir do qual a Bíblia veio a ser conhecida, manuseada e assumida por Antonio Vicente Mendes Maciel, o Conselheiro.

4.1.2. Os Enredos

As prédicas que reuni sob o título "Sequência Bíblica" são exemplos eloquentes dessas formas de interpretação das Escrituras que se tornaram tradicionais no âmbito do cristianismo. Elas são pródigas em atualizar e aplicar à vida religiosa cristã as histórias e passagens da Bíblia judaica. Nelas se encontram as duas formas de leitura tipológica, com predomínio dos teleótipos, já que Jesus é entendido como aquele "que disse não ter vindo destruir a Lei, mas aperfeiçoá-la" (APDL, p. 210).

Considere-se, a bem da verdade, que algumas das prédicas não apontam para tais procedimentos hermenêuticos. Atêm-se a resumir as narrações bíblicas de que derivam, capazes de, por si sós, comunicar a mensagem

---

[57] Pierre Gibert, op. cit., p. 128.
[58] Henri de Lubac, op. cit., p. 24-25.
[59] Pierre Gibert, op. cit., p. 128.

pretendida: o dilúvio e o chamado ao arrependimento, a vocação de Moisés e as pragas do Egito como introito para o que virá a seguir, a infidelidade no episódio do "bezerro de ouro".

Outra prédica, aquela sobre a criação do primeiro casal humano e sua expulsão do paraíso, tem um resultado surpreendente, caso se considerem a tradição que sobre esse tema se desenvolveu e mesmo outras páginas dos *Apontamentos*... Em termos de tipologia, desde Paulo (Romanos 5,12-21) Adão é referido a Cristo, e a tradição cristã, pelo menos desde Agostinho, enraíza nesse enredo a doutrina do pecado original, tema que frequenta várias páginas do caderno objeto deste estudo. Mas justamente aqui na prédica que abre a "Sequência Bíblica" o direcionamento soa inovador; aliás, já o apontei anteriormente: já que Adão e Eva tiveram um casamento peculiar, por conta das condições privilegiadas em que ele se realizou, no qual foram observadas todas as cerimônias "que se observam hoje na Lei da Graça", o que "a Santa Madre Igreja de Roma" ordena, pelas disposições do "Sagrado Concílio Tridentino" não é outra coisa que a imitação daquele venerável desposório (APDL, p. 173)!

Mas essas são poucas. Até mesmo a prédica sobre Jonas, que conclui da mesma forma que o enredo bíblico do livro de mesmo nome, a certa altura da narração retoma a leitura tipológica realizada já no Novo Testamento: "Porque assim como Jonas esteve no ventre da baleia três dias e três noites, assim estará o Filho do homem três dias e três noites no coração da terra" (Mateus 10,40). Tal vinculação não só é conhecida como ampliada: "Assim se aplacou a Justiça infinita de Deus com a morte de Jesus, o qual depois de estar três dias na sepultura, ao terceiro dia ressurgiu dos mortos para cumprir a gloriosa missão de Salvador dos homens" (APDL, p. 176).

Esse procedimento é que marca as prédicas da "Sequência Bíblica". Tratemos, portanto, de reunir as passagens em que ele se mostra evidente, para depois buscarmos uma visão do conjunto:

– Jó é uma figura do Divino paciente Jesus Cristo, o qual por nossos pecados foi coberto de chagas desde a planta dos pés até o alto da cabeça, e até dos amigos foi desprezado como homem carregado de iniquidades (APDL, p. 183).

– O Cordeiro Pascoal é figura do Cordeiro de Deus, que por nós se imolou na Cruz.[60] Fomos marcados com o seu Sangue, e assim preservados da morte eterna. No Santíssimo Sacramento do Altar Ele nós dá em alimento sua Carne e seu Sangue, debaixo das espécies de pão asmo. O livramento dos Israelitas do cativeiro de Faraó por Moisés representa, ao vivo, o livramento de toda a humanidade da escravidão do demônio por Jesus Cristo (APDL, p. 191-92).

– A coluna de nuvens e de fogo representa Jesus Cristo. Quem caminha aluminado por esta luz, atravessa com passos seguros os perigos do Mundo em que outros se perdem. A passagem do Mar Vermelho, necessária aos Israelitas para chegarem à terra prometida, simboliza o Sacramento do Batismo, pelas águas do qual chegaremos ao Céu (APDL, p. 194-95).[61]

– O Maná é clara figura do Augustíssimo Sacramento da Eucaristia no qual nos é dado Jesus Cristo oculto nas espécies de pão, até o dia em que chegaremos à verdadeira pátria, onde face a face o contemplaremos (APDL, p. 197).

– Esta fonte de água viva [surgida pela ação de Moisés, ao bater com sua vara no monte Horeb] representa as graças que nos Sacramentos recebemos pelo ministério dos Sacerdotes Católicos (APDL, p. 198).

– Como estabelecida a antiga Aliança sobre o Monte Sinai, e assim foi a nova sobre o Calvário. Ali manifestou mais Deus o seu poder e rigor, aqui o seu amor e misericórdia. Uma outra aliança foi confirmada com sangue. No Sinai

---

[60] A escrita dos *Apontamentos*... não necessitou da nota da Bíblia referida à "nossa Páscoa" de 1 Coríntios 5,7: "Que é verdadeiro Cordeiro Pascal, de que era figura o dos Judeus".

[61] Curioso é notar que essa passagem dos *Apontamentos*... reproduz, sem o citar, o vínculo estabelecido por Paulo na já citada passagem de 1 Coríntios 10,1-4, considerada o exemplo neotestamentário fundante da leitura tipológica.

com o sangue dos animais, no Gólgota com o sangue da verdadeira vítima, o Cordeiro sem mácula, Nosso Senhor Jesus Cristo (APDL, p. 201-02).

– O Tabernáculo representa nossas Igrejas Católicas. O Santo dos Santos corresponde ao nosso Altar, onde se imola o sacrifício da nova aliança. O Santuário, a Capela-Mor, onde funcionam os Ministros de Deus; e o adro, à nave onde ficam os fiéis (APDL, p. 207-08).

– Os Sacrifícios cruentos figuravam o sacrifício de Jesus Cristo na Cruz, os incruentos designavam o Santo Sacrifício da Missa (APDL, p. 208).

– As festas judaicas da Páscoa e Pentecostes dos Cristãos e a festa dos Tabernáculos significavam a festa do Santíssimo Sacramento (APDL, p. 209).

– Há no Sacerdócio cristão, como no da antiga Lei, uma hierarquia Sagrada, composta do Papa, dos Bispos, Sacerdotes, Diáconos. Por este modo manifesta a Igreja Católica ser obra daquele que disse não ter vindo destruir a Lei, mas aperfeiçoá-la (APDL, p. 210).

– Eles [os juízes] são uma figura dos doze Apóstolos, que venceram o paganismo pela virtude de Cristo, seu chefe invisível (APDL, p. 216).

– O Templo de Salomão é, como o antigo Tabernáculo, uma figura das nossas Igrejas (APDL, p. 220).

Poder-se-ia ainda aventar a possibilidade de um outro exemplo, não formulado dessa forma categórica encontrada nos casos acima, mas nem por isso menos significativo. Penso num fragmento extraído da prédica "Reflexões", que prolonga aquela sobre o dilúvio. A certa altura, recorrendo à Primeira carta de Pedro (3,20), o texto sugere que muitos, além dos oito que ingressaram na arca, se salvaram. O comentário da Bíblia a respeito dessa passagem bíblica, diz que esses homens e mulheres efetivamente

> tinham sido incrédulos às vozes de Noé, que da parte de Deus os avisava do castigo iminente, para se arrependerem, [...] com efeito ao verem sobre

si o castigo do Dilúvio, conheceram o erro; e antes de morrerem submergidos, fizeram penitência, e conseguiram misericórdia, servindo-lhes o Dilúvio como de batismo para se salvarem quanto às almas [...].

Assim, as águas trágicas do dilúvio, ao salvarem, na última hora, tantas pessoas até então incrédulas, prenunciariam aquelas, indispensáveis à salvação, do batismo! Esta surpreendente associação parece estar subjacente ao texto dos *Apontamentos*... Mas há outro exemplo, que não pode deixar de ser mencionado neste comentário, aquele das prefigurações da cruz de Jesus, apresentadas na eloquente prédica "Sobre a Cruz". Elas são várias:

> Assim se viu figurada no cajado com que Jacó, perseguido passou as águas do Jordão. Também se representou nas mãos do mesmo Jacó trocada sobre Efraim e Manassés, onde, escolhendo ao mais moço, retratou o Espírito Santo a nova eleição que em virtude da Cruz de Jesus, se havia de fazer da gentilidade. Foi também representada a Cruz no pau com que o Profeta Eliseu tirou do Jordão o ferro do machado, que nele tinha caído.[62] Outra figura da Cruz foi o sacrifício de Isaac, pelo que depois se viu em Nosso Senhor Jesus Cristo no Monte Calvário. Na Lei escrita foi venerada a Cruz na figura da Vara de Moisés, como dizem e entendem os Santos Padres. E o mesmo Moisés não escaparia de ser afogado no Rio Nilo, quando nele o lançaram seus Pais para o livrarem do Faraó e de seus Editos, se não fora dentro daquela cestinha de junco, tecida e feita de muitas Cruzes (APDL, p. 125-26).

Como se vê, na quase totalidade dos casos temos associações em termos de teleótipos; apenas o rigor da aliança do Sinai prefigura, em termos de

---

[62] A respeito dessa cena, lê-se na nota da Bíblia que supostamente terá sido aquela utilizada pelo Conselheiro: "neste madeiro [...] contempla Tertuliano [...] uma figura da Cruz de Cristo, que pela virtude que difundiu nas águas do Batismo tirou e fez subir do profundo do rio, isto é, do abismo do erro [...] o ferro do machado, isto é, os homens endurecidos" (*A Bíblia Sagrada*..., vol. I, p. 486).

antítipo, a misericórdia evidenciada na aliança selada no Calvário. Assim, é possível verificar no enredo bíblico do Êxodo (até a construção do templo por Salomão) mostras pálidas do que o Novo Testamento trará em plenitude, para além dele mesmo.

Vejamos, então, algumas ênfases que desse conjunto derivam. Um dos eixos fundamentais do olhar religioso evidenciado nos *Apontamentos*..., o sofrimento e o sacrifício de Jesus (profeta prometido por Moisés), tem ele várias prefigurações: o cordeiro pascal, protetor diante do anjo exterminador, ilustra o caráter salvífico do sacrifício de Jesus, que também fora prenunciado nas ofertas de animais no culto. O benefício que a humanidade recebeu de tal sacrifício é realçado pela travessia vitoriosa do mar, que possibilitou aos israelitas libertar-se do jugo do faraó egípcio.

Por outro lado, o drama de Jó evidencia sua dimensão dolorosa desse mesmo sacrifício: dois lados a indicar a grandiosidade do feito de Jesus pela humanidade, ao qual várias prédicas remetem, pedindo a contemplação e o reconhecimento. Afinal de contas, o gesto de Jesus no Calvário, ao derramar seu sangue, selou uma nova aliança, de amor e misericórdia, frente à anterior, no Sinai, na qual Deus havia atuado com poder e rigor.

O alcance da obra de Jesus se prolonga na Igreja Católica, mostra mais clara de que seu fundador não veio abolir a lei mosaica, mas aperfeiçoá-la. Ela tem suas colunas e alicerce nas figuras dos apóstolos, prefigurados nos juízes que conduziram Israel. Por meio dela, assim fundada, Jesus continua, como a coluna de fogo que acompanhava os hebreus saídos do Egito, a guiar, com sua luz, as pessoas no caminho da vida, em meio aos perigos do mundo. Mostras desses benefícios são os sacramentos (representados, no geral, pela fonte de água que saciou os hebreus no deserto), entre os quais o batismo aparece prefigurado na travessia do mar, a eucaristia no maná. O caráter sacrificial do rito católico da missa está anunciado nas ofertas incruentas feitas no culto antigo (não por acaso, pães ázimos e vinho entre elas!).

Tais sacramentos são disponibilizados "pelo ministério dos Sacerdotes Católicos". Eles fazem parte de uma hierarquia sagrada, que encontra na organização do sacerdócio israelita sua prefiguração. O culto israelita prenuncia até mesmo as festas do calendário litúrgico católico. E ainda as edificações para o culto, o tabernáculo e o templo apontam, inclusive nos detalhes, para as igrejas católicas.

Não se pode deixar de perceber um foco bastante acentuado no culto; por meio dele a ação salvadora de Jesus na cruz se manifesta. Os sacramentos são efusões da graça de Deus. As igrejas hão de ser construídas para que o culto se realize a contento. Não terá sido por acaso que, no Belo Monte que viu serem escritos os *Apontamentos*..., se tenha trabalhado, em escassos quatro anos (um deles tomado quase todo pela guerra), na construção e cuidado de três igrejas. A participação reverente no culto, realizado em locais adequados, é a expressão mais eloquente de que se está encaminhando a vida em sintonia com aquilo que as águas do batismo, de forma mais grandiosa que aquelas do Mar Vermelho, abertas, proporcionam ao cristão: alcançar a salvação, poder atingir o céu.

4.2. Versículos Bíblicos

Não me é possível, aqui, tecer uma abordagem sobre as dezenas de versículos que pontilham as prédicas contidas nos *Apontamentos*... Assim, restrinjo-me aqui à seção "Textos", tratando de verificar como daí possam evidenciar-se formas de recepção do texto bíblico. Já que se está diante de versículos coletados aqui e ali, reunidos e associados de modo livre, há que se recordar como Certeau caracteriza o leitor, aquele que "combina os seus [do livro] fragmentos e cria algo não sabido",[63] antes impensado, não previsto, não definido. O fato de que grande parte desses versículos tenha aparecido no interior de várias das prédicas constitutivas dos *Apontamentos*... não deve levar a que se veja a seção "Textos" como uma espécie de coletânea fortuita de passagens bíblicas (junto a uma e outra referência distinta). Pelo contrário, ao serem coletados e agrupados, passam a fazer sentido no conjunto que daí resulta, e a partir dele.

---

[63] Michel de Certeau et al., *A Invenção do Cotidiano: I. Artes de fazer*. 6. ed. Petrópolis, Vozes, 2001, p. 265.

Assim, presto atenção a algumas "extrações" de versículos, e "combinações" entre eles, que resultaram criativas e originais. Mais uma vez, não é possível esgotar a questão; espero que os exemplos sejam ilustrativos do que desejo mostrar.

4.2.1. Versículos Isolados

Isso não é o que predomina no interior dos "Textos", mas deve ser mencionado. A seleção de versículos que, ao menos na aparência, não combinam diretamente com os dados dos contextos literários em que são inseridos sugerirá talvez que cada um deles deva ser tomado como uma unidade dotada de sentido próprio, válida por ela e nela mesma. A título de exemplo pode-se citar a passagem de Mateus 19,24: "Mais fácil é passar um camelo pelo fundo de uma agulha do que entrar um rico no Reino dos Céus" (APDL, p. 244). Não é difícil perceber o potencial retórico desse aforismo, sua densidade de sentido e seu potencial provocativo. Sua simples presença nessa coletânea é eloquente, percepção reforçada quando se nota que, ao contrário de grande parte dos versículos aqui reunidos, este não consta de nenhuma das prédicas constitutivas dos *Apontamentos...* Volto a ele, em momento oportuno.

4.2.2. Versículos Combinados

Abordo agora outra prática de manuseio dos textos bíblicos, que consiste na "simples" reunião de fragmentos em vistas a um resultado específico. Tomo dois exemplos. Primeiramente um em que é recolhido um versículo decisivo na constituição do imaginário católico a respeito da Igreja:

> *Haec est autem voluntas Patris mei, qui misit me: ut omnis, qui vidit Filium, et credit in eum, habeat vitam aeternam, et ego resuscitabo eum in novissimo die* (Joan Cap. 6, v. 40). É a vontade de meu Pai, que me enviou, que todo o que vê o Filho e crê nele tem a vida eterna, e eu ressuscitarei no último dia. *Tu es Petrus et super hanc petram aedificabo Ecclesiam meam, et porta[e] inferi non praevalebunt adversus eam* (Mat., cap. 16, v. 18). Tu és Pedro e sobre esta pedra edificarei a minha Igreja, e as portas do inferno não prevalecerão contra ela (APDL, p. 240).

Combinam-se aqui dois versículos evangélicos (que aparecem citados também na sua forma latina), João 6,40 e Mateus 16,18, e penso que o fator que terá propiciado tal vínculo é a percepção de uma consistência que emerge de uma e outra passagens, e se reforça quando estas se veem articuladas: a Igreja é estabelecida como decorrência da vontade divina em proporcionar a possibilidade da vida eterna a quem crê, e a pertença a ela protegerá das investidas insidiosas do demônio.

Passo a uma outra situação, já mencionada, mas que cabe ser aqui recuperada:

Qui habet mandata mea, et servat ea: ille est qui diligit me. Qui autem diligit me, deligetur a Patre meo: et ego diligam eum, et manifestabo ei meipsum [...] Aquele que tem os meus Mandamentos e que os guarda: esse é o que me ama. E aquele que me ama será amado de meu Pai e eu o amarei também, e me manifestarei a ele. Porque o Filho do homem há de vir na glória de seu Pai com os seus Anjos, e então dará a cada um a paga segundo as suas obras (APDL, p. 247).

Essas duas passagens bíblicas formam um conjunto que encerra a seção "Textos". Soa apropriado que esta finalize exatamente com uma referência ao dado escatológico, mas é também sugestivo que a última frase, o versículo encontrado em Mateus 16,27, apareça apenas em português, enquanto a frase extraída de João 14,21, justamente por aparecer nas duas línguas, evidencie-se como a central do conjunto. Fundamental é a manifestação de Jesus a quem o ama e guarda seus mandamentos: o versículo de Mateus "apenas" reforça, pela referência à paga pelas obras, a necessidade de se amar a Jesus e guardar seus mandamentos.

4.2.3. Versículos Comentados

Há também a situação em que um versículo bíblico é citado em latim e, em vez de ser acompanhado por sua tradução, suscita uma paráfrase dela que bem serve de comentário. É o que se encontra, por exemplo, na passagem seguinte, aberta com uma palavra atribuída a Jesus no Evangelho segundo Lucas

(12,49): *"Ignem veni mittere in terram, est quid volo nisi ut accendatur?* [...] Que tinha vindo à terra para trazer às almas o fogo do Divino amor, e que não tinha outro desejo senão de ver esta Santa chama acender em todos os corações dos homens" (APDL, p. 236).

A tradução do que se lê em latim é: "Eu vim trazer fogo à terra; e que quero eu senão que ele se acenda?" Mas o que se encontra aqui é um comentário que parte da própria tradução e trata de dar significação precisa a esse fogo, e com isso acaba por expressar a razão mesma da estada do Filho de Deus entre os humanos, e a expectativa pela eficácia quanto aos propósitos que o motivaram: fazer os corações humanos preencherem-se do fogo do divino amor.

4.2.4. Versículos Combinados e Comentados

Mas há também exemplos de como versículos bíblicos são enfeixados por um comentário sugerido pelo conjunto, que de alguma forma dá o sentido à combinação feita. Veja-se um primeiro caso:

> *Et ingressus Angelus ad eam, dixit: Ave, gratia plena: Dominus tecum Benedicta tu in mulieribus.* [...] Entrando pois, o anjo onde ela estava disse-lhe: Deus te salve, cheia de graça; O Senhor é contigo; Benta és tu entre as mulheres. *Et respondens Angelus dixit ei: Spiritus Sanctus superveniet in te, et virtus Altissimi obumbrabit tibi. Ideoque et quod nascetur ex te Sanctum, vocabitur Filius Dei* [...] E respondendo o anjo lhe disse: O Espirito Santo descerá sobre ti, e a virtude do Altíssimo te cobrirá da sua sombra. E por isso mesmo o Santo, que ha de nascer de ti, será chamado Filho de Deus. Grande desejo que Jesus teve de sofrer e morrer por nosso amor (APDL, p. 235-36).

Dois versículos são citados, em latim e português (Lucas 1,28.35), e devidamente traduzidos, remetendo-nos à cena bíblica. Ao abrirem a seção "Textos", eles sintetizam o movimento pelo qual o Filho de Deus vem ao mundo. Mas exatamente aí vem o comentário, que oferece o sentido de tal movimento anunciado pelo anjo à Maria: a vinda de Jesus é referida à sua morte, ocorrida pelo amor que devota aos humanos, como evidencia a última frase do fragmento colhido.

Outro exemplo remete à cena da paixão de Jesus na cruz, tema que, como já foi visto, perpassa muitas das páginas dos *Apontamentos*...; são muitos os versículos:

[1] *Si quis vult post me venire, abneget semetipsum, et tollat crucem suam et sequatur me* (Mat., cap. 16. v. 24).

Se alguém quer vir após de mim, negue-se a si mesmo e tome a sua cruz e siga-me.

[2] *Christus passus est pro nobis, vobis relinquens exemplum ut sequamini vestigia ejus* (São Pedro I, cap. II, v. 21).

Jesus Cristo sofreu por nós, deixando-vos o seu exemplo para que sigais os seus vestígios.

[3] *Pater mi, si possibile est transeat a me calix iste: verum tamen mom sic et ego volo, sed sicut tu* (Mat., cap. 26, v. 39).

Pai meu, se é possível, passe de mim este cálix: todavia, não se faça nisto a minha vontade, mas sim a tua.

[4] *Majorem hac dilectionem nemo habet, ut animam suam ponat quis pro amicis suis* (Jo, C. 15 v. 13).

E que maior sinal de amor, diz o mesmo Salvador, pode dar um amigo ao seu amigo, que sacrificar a sua vida por ele?

[5] *Ego autem sum vermis et non homo: opprobrium hominum et abjectio plebis* (Ps. 21).

Et cum sceleratis reputatus est (Is 53).

[6] Que na sua paixão viria a ser opróbrio dos homens e o desprezo da plebe, e morreria coberto de pejo, supliciado por mão de verdugo sobre patíbulo infame. Posto como malfeitor entre dois ladrões (APDL, p. 236-38).

Essa coletânea se inicia com a passagem de Mateus 16,24 [1], que bem serve de introdução e convocatória. O apelo à tomada da cruz justifica-se no exemplo de Jesus, que sofreu em favor da humanidade e deixou exemplo sobre como proceder [2]. Assim, passa-se à contemplação, pelos versículos seguintes, do drama de Jesus: de novo [3] um extraído de Mateus (26,39); outro [4] do Evangelho segundo João (15,13), em latim e uma paráfrase dele em português; em seguida [5] o Salmo 21,6 em latim, e imediatamente também apenas em latim, Isaías 53,12. Finaliza o conjunto um comentário [6], que emerge da tradução destes dois últimos versículos, combinando-os. O que resulta daí? Várias facetas da trajetória sofrida de Jesus, desde sua angústia interior (mas de antemão submissa à vontade do Pai) até a visão desfigurada do crucificado, dilacerado pela enormidade do sofrimento a ele imposto. Mas tudo é assumido pelo amor extremo pelo amigo, a humanidade toda, como indica a paráfrase do texto do quarto Evangelho: o sacrifício da própria vida.

Um último exemplo, que tem algo de singelo e simples, mas que acaba por produzir um resultado absolutamente novo, quando dois versículos são combinados; o comentário que vem logo depois quase não mais seria necessário. Trata-se de uma passagem que se encontra no interior da prédica sobre o sexto mandamento: "Disse Deus a Moisés: *Estende manum tuam; extendam manum meam*". ["Estendei a vossa mão, que eu também estenderei a minha; mais sabeis que a minha sem a vossa não vos há de valer para vos salvar"] (APDL, p. 83).

A tradução ao português é um pouco livre, para justamente realçar a complementaridade, pelo contraste, entre as duas orações. E ao se olhar os contextos literários de que cada uma delas provém, verifica-se que a primeira (Êxodo 4,4) refere-se à conversão da mão estendida de Moisés, pela ação de Deus, em um bastão, enquanto a segunda (Êxodo 3,20) anuncia a intervenção de Deus para ferir o faraó e o Egito com pragas, e assim alcançar a libertação dos israelitas. Mas a combinação dos dois versículos resulta num apelo à ação humana em correspondência à graça favorável de Deus; mais ainda, apela-se à iniciativa humana, que terá sem dúvida a resposta de Deus, em vistas à salvação: é preciso que a vontade humana se manifeste em ações que a manifestem. Sem deixar de notar que a salvação fica bem ilustrada pela imagem da mão estendida (de Deus) para alcançar a outra (a humana), que se mostrará estendida pelas manifestações de virtude e afastamento da tibieza.

Concluo, com esses exemplos, o exame sobre como os versículos bíblicos são recolhidos, assumidos e configurados, na seção "Textos" e fora dela, resultando em sustento e reforço dos conteúdos que se espalham pelas páginas dos *Apontamentos*... Deverá ter sido possível notar como se está diante de obra original, de conteúdo diferenciado, embora fazendo uso de temas e textos tradicionais, oriundos da Bíblia judaico-cristã. Possibilitada pela relativa difusão que o texto bíblico alcançou no Brasil na segunda metade do século XIX, a leitura deste acabou por deixar marcas no escrito conselheirista que não devem deixar de surpreender, não só pelas elaborações realizadas a partir dos versículos, mas também pela edificação religiosa que terá sido possível pelas exposições que compõem a "Sequência Bíblica".

Resta uma última pergunta, a ser enfrentada no tópico seguinte: articular-se-iam de algum modo significativo nos *Apontamentos*... a leitura da Bíblia, aquela do *Compêndio* e ainda a da *Missão Abreviada*? Pode-se ver no manuscrito de 1895 uma síntese de múltiplas leituras, entre as quais os referidos livros certamente se destacam? Que contornos dessa síntese evidenciariam a elaboração feita pelo leitor/autor, agora não mais sobre um ou outro livro, mas sobre uns tantos?

5. ANTONIO CONSELHEIRO, AUTOR

Deve-se notar que a questão acima não foi apresentada pela primeira vez. Efetivamente, sobre outra base material, o caderno publicado por Ataliba Nogueira, Alexandre Otten se colocava exatamente o mesmo problema, tendo sugerido um caminho interessante para solucioná-lo:

> Encontram-se [sic] nos manuscritos [com o nome do Conselheiro] uma série de testemunhos da [...] cristologia sacrificial seguida

pelo imperativo dolorista da reparação dos pecados correlacionada à imagem de um Deus irado e temível, que obviamente provém da *Missão Abreviada*. Mas pode-se observar a tentativa de equilibrar essa corrente teológica sacrificial com uma condescendente [...]. De onde vem a teologia condescendente do Conselheiro? Surge ela vigorosa quando ele se aproveita da própria Bíblia. Os "Textos extraídos da Sagrada Escritura" exaltam os prodígios e as maravilhas do amor de Deus, a grandeza dos benefícios do amor de Jesus Cristo que superam vitoriosamente o peso do pecado. A razão da encarnação do Filho de Deus é o amor.[64]

A análise que venho propondo a respeito dos *Apontamentos*... não pode senão confirmar essa intuição certeira de Otten, até porque grande parte destes aparece reproduzida no caderno publicado (por exemplo, os "Textos Extraídos da Sagrada Escritura" retomam e ampliam o conteúdo da seção "Textos"): o recurso à Bíblia, que permitiu a descoberta das "invenções do amor de nosso Deus" terá sem dúvida contribuído para mitigar a atmosfera agressivamente rigorista que tanto o livro de Nuno Marques Pereira como principalmente o de Gonçalves Couto respiram. No entanto, quero aqui propor outra possibilidade, que não anula o caminho sugerido por Otten mas, quem sabe, o amplie. Ela é sugerida pela reprodução, apresentada ao final da prédica "Sobre a Fé" (APDL, p. 147), do fragmento final do capítulo 4 da primeira carta de Paulo aos tessalonicenses, texto fundamental na configuração da doutrina sobre o fim dos tempos, da reflexão e do imaginário a esse respeito. O contexto em que essa reprodução do texto bíblico aparece é o da exortação à resistência no sofrimento, tema recorrente nos *Apontamentos*...: "Sempre devemos estar prontos a suportar sem queixa o que aflige mais a natureza, a ausência, o apartamento, até a morte, lembrando-nos do que diz o Apóstolo" (segue-se a citação, que apresento a seguir, em paralelo com o texto bíblico):

---

[64] Alexandre Otten, op. cit., p. 283-84.

Apontamentos... (Prédica "Sobre a Fé")	*Texto bíblico (1 Tessalonicenses 4,12-18)*
Não queremos, meus irmãos, que estejais na ignorância pelo que toca aos falecidos. Para que não vos entristeçais como os outros homens, que não têm esperança.	E não queremos, irmãos, que vós ignoreis coisa alguma acerca dos que dormem, para que não vos entristeçais como também os outros que não têm esperança.
Porque se acreditamos que Jesus Cristo morreu e ressuscitou, também Deus ressuscitará com Jesus os que nele tiverem falecido.	Porque se cremos que Jesus morreu, e ressuscitou: assim também Deus trará com Jesus aqueles que dormiram por ele.
Digo-vos isto segundo a palavra do Senhor. Nós que vivemos	Nós pois vos dizemos isto na palavra do Senhor, que nós outros, que vivemos, que temos ficado aqui para a vinda do Senhor, não preveniremos aqueles que dormiram. Porque o mesmo Senhor com mandato, e com voz de Arcanjo, e com a trombeta de Deus, descerá do Céu: e os que morreram em Cristo ressurgirão primeiro. Depois nós os que vivemos, os que ficamos aqui, seremos arrebatados juntamente com eles nas nuvens a receber a Cristo
seremos também elevados com Ele nas nuvens, ao encontro de Cristo no meio dos ares, e assim estaremos sempre com o Senhor.	nos ares, e assim estaremos para sempre com o Senhor.
Consolai-vos pois uns aos outros nestas palavras.	Por tanto consolai-vos uns aos outros com estas palavras.

Pode-se ver, não só pela referência introdutória "o que diz o Apóstolo", mas pelo próprio transcorrer da citação, que o texto paulino é matriz fundamental, e sua estrutura básica permanece na reprodução lida nos *Apontamentos...* Mas não é difícil notar a significativa omissão que se dá neste processo de reprodução. A passagem que não consta na prédica "Sobre a Fé" é, na verdade, decisiva para os propósitos do texto paulino, à medida que lhe permitiu colocar a questão do lugar de vivos e de mortos quando da parúsia do Senhor, tida como algo iminente. A nota da Bíblia que terá servido de inspiração na escrita dos *Apontamentos*... não escapa à constatação de que se está diante de uma passagem espinhosa, que mostra Paulo incerto sobre "aquele grande dia" e "se considera [...] como um daqueles, que então se hão de achar vivos", citando-se como exemplo "do que sucederá aos que naquele ponto estiverem ainda vivos". E que acaba por levantar o problema sobre se todos os humanos, porque filhos de Adão, devem, ou não, passar pela morte, mesmo que rapidamente. Já a nota seguinte discute a identificação do anjo que haverá de tocar a trombeta naquele grandioso dia, se Miguel ou o próprio Jesus.[65]

É altamente sugestivo o "silêncio" que sobre essas questões adota a transcrição dos dizeres do apóstolo Paulo nos *Apontamentos*... Como se fora uma resposta antecipada ao que do Conselheiro e de seu Belo Monte diriam Euclides da Cunha e seus repetidores, o teor dessa passagem parece pretender evitar qualquer anúncio bombástico ou maravilhoso, produtor de temores e entusiasmos, sobre o fim dos tempos, que justamente a passagem omitida permitiria alimentar. Diferentemente dessa perspectiva, a prédica parece pretender manter uma consciente serenidade, e incentivar ao enfrentamento sereno e confiante daquilo que é o destino terreno de todos: a morte. De sorte que a advertência do apóstolo terá de ser reescrita... A liberdade frente ao texto sagrado impressiona, e esta não é a única vez em que ela se manifesta.

Mas nesse fragmento que refaz a exortação escatológica derivada do texto bíblico se encontra também uma distância eloquente frente àquilo que caracteriza a *Missão Abreviada*, e mesmo (de forma um tanto atenuada, o *Compêndio*). Como foi possível verificar em passagens analisadas anteriormente, as proclamações de ordem escatológica são marcantes também no livro de Gonçalves Couto; no entanto a perspectiva de tais anúncios era (também foi possível verificá-lo) fundamentalmente a de alcançar dos fiéis a conversão por meio

---

[65] *A Bíblia Sagrada*, op. cit., vol. 2, p. 989.

da provocação do pânico perante a possibilidade da condenação e das penas daí decorrentes. Nada disso se encontra nos *Apontamentos*... e, em particular, nessa reprodução criativa do texto bíblico. Pelo contrário, se de um lado a reprodução omite uma passagem do texto (e, como já indiquei, nada sugere que tenha sido de forma involuntária), por outro não deixa de fazer da conclusão da passagem também a conclusão da prédica: "Consolai-vos pois uns aos outros nestas palavras". Nada mais distante dos terrores da *Missão Abreviada*, que, não custa repetir, era um livro que "fechava sem piedade as portas do céu", nos dizeres do afilhado do Conselheiro.

Afirmado, portanto, o Conselheiro como o responsável, em última instância, pelo conteúdo geral dos *Apontamentos*..., há que se tomá-lo como o leitor focado por Certeau, que diante do livro "não toma nem o lugar do autor nem um lugar de autor. Inventa nos textos outra coisa que não aquilo que era a 'intenção' deles".[66] Mas o leitor Antonio Conselheiro, assim considerado, situa-se também, com os *Apontamentos*..., no rol dos "escritores, fundadores de um lugar próprio, herdeiros dos servos de antigamente mas agora trabalhando no solo da linguagem, cavadores de poços e construtores de casas", porque incansável membro do grupo dos leitores: "viajantes; circulam nas terras alheias, nômades caçando por conta própria através dos campos que não escreveram".[67]

Muito terá sido dito, nas páginas anteriores, sobre as leituras do Conselheiro, e sobre a composição de um conjunto novo, feito de tanto material do qual se foi apropriando em sua escrita/tessitura criativa. Mas não o bastante: passagens extensas de Afonso Maria de Ligório, bispo italiano do século XVIII, carregadas da "teologia amorosa" que Otten sugeria buscar em Ibiapina, estão reproduzidas nos *Apontamentos*... Vários livros dessa marcante figura eclesiástica foram traduzidos ao português ao longo do século XIX, e inclusive houve quem fizesse com as obras desse bispo coisa semelhante ao que nos *Apontamentos* se faz com suas fontes. Teria, por exemplo, chegado ao

---

[66] Michel de Certeau et al., op. cit., p. 264-65.
[67] Ibidem, p. 269-70.

sertão brasileiro do século XIX o trabalho do carmelita português Manuel da Madre de Deus, companheiro de Gonçalves Couto na pregação de missões, intitulado *Piedosas Meditações sobre a Paixão de Nosso Senhor Jesus Cristo, Extraídas e Compendiadas da Obra de Santo Afonso Maria de Ligório "Relógio da Paixão"*? E se não for esse o caso, será preciso explicar por outro caminho o paralelo seguinte:

Relógio da Paixão	*Apontamentos...*
Dizia o profeta Isaías: Ide, e publicai por todas as partes as invenções do amor de nosso Deus para se fazer amar dos homens. E que invenções não achou o amor de Jesus para se fazer amar de nós? Sobre a cruz quis abrir-nos em suas sagradas chagas outras tantas fontes de graças, que para as receber nos basta pedi-las com confiança; e não contente com isto quis dar-se-nos a si mesmo inteiramente no santíssimo Sacramento (cap. V, n. 12).[68]	Ide, dizia o profeta Isaías, ide publicar por toda parte as invenções do amor do nosso Deus para se fazer amar dos homens. E que invenções não achou o amor de Jesus para se fazer amor de nós? Sobre a cruz Ele quis abrir-nos em suas sagradas chagas tantas fontes de graças que para as receber basta pedi-las com confiança; e não contente com isso Ele quis dar-se todo a nós no Santíssimo Sacramento (p. 7).

E muitos outros paralelos semelhantes estão à espera de serem investigados e esclarecidos, bem como as correspondentes transposições, omissões e acréscimos. Esse ponto da estratigrafia das investigações convoca à continuidade do trabalho.

Comentando o magistral trabalho de Carlo Ginzburg sobre Domenico Scandella, conhecido como Menocchio, Robert Darnton faz a seguinte observação:

---

[68] Disponível em: <https://radiocristiandad.wordpress.com/2015/03/30/reloj-de-la-pasion-por-san-alfonso-maria-de-ligorio-6/>. Acesso em: 30 maio 2015. Note-se que, enquanto Afonso Ligório se ocupa da devoção ao sacramento eucarístico, nos *Apontamentos...* o teor copiado presta-se a salientar o amor de Deus, que pede a contrapartida humana, no contexto da reflexão sobre o primeiro mandamento do Decálogo.

[...] Menocchio tinha lido uma grande quantidade de histórias bíblicas, crônicas e livros de viajantes, de gênero existente em muitas bibliotecas nobres. Menocchio não estava simplesmente recebendo mensagens transmitidas de cima para baixo na ordem social. Ele lia agressivamente, transformando o conteúdo do material à sua disposição [...].[69]

Qual novo Menocchio, com certeza não tão irreverente, mas não menos leitor e autor, Antonio Conselheiro, o responsável em última instância pelo conteúdo dos *Apontamentos*..., também era dotado de uma rede que "interpunha entre ele e a página impressa – um filtro que fazia enfatizar certas passagens enquanto ocultava outras, que exagerava o significado de uma palavra, isolando-a do contexto [...]".[70] Fez-se, portanto, a seu modo, em sua trajetória, e nas circunstâncias em que ela ocorreu, um "logoteta", diria Barthes:

> Não há hoje nenhum lugar de linguagem exterior à ideologia burguesa: nossa linguagem vem dela, a ela retorna e nela permanece fechada. A única resposta possível não é nem o enfrentamento nem a destruição, mas somente o roubo: fragmentar o texto antigo da cultura, da ciência, da literatura e disseminar seus traços segundo fórmulas irreconhecíveis, do mesmo modo que se maquila uma mercadoria roubada.[71]

Não se discute aqui o propósito de roubar, constata-se que ladrão o Conselheiro foi considerado. Reconhecem-se, nos *Apontamentos*..., vestígios da Bíblia e de outros livros que compunham uma rede textual e de testemunhos da elástica tradição católica expressa num sem-número de títulos; e admira que um tanto deles tenha chegado ao conhecimento do Conselheiro. Mas a "mercadoria" é outra, assim foi percebida, e por isso foi combatida. Isso porque os

---

[69] Robert Darnton, op. cit., p. 147.
[70] Carlo Ginzburg, *O Queijo e os Vermes: O Cotidiano e as Ideias de um Moleiro Perseguido pela Inquisição*. 10. ed. São Paulo, Companhia das Letras, 1998, p. 89.
[71] Ronald Barthes, *Sade, Fourier, Loyola*. São Paulo, Martins Fontes, 2005, p. 13.

Apontamentos... não resultam apenas da decisão de traduzir em páginas escritas elaborações derivadas de tantas e tantas leituras. Eles foram delineados com o propósito de favorecer "a salvação dos homens", como o próprio título evidencia. E foram registrados em Belo Monte, em função desta aldeia rebelde, sob responsabilidade daquele que enfeixava em si tanto os ideais básicos daquele vilarejo quanto os ódios que já se projetavam sobre este e haveriam de desencadear a guerra brutal. É hora, portanto, de passar a verificar como os *Apontamentos...* se situam no bojo da trajetória do nascimento, vida e morte de Belo Monte, e de que forma eles nos proporcionam acesso privilegiado para avaliar a experiência sociorreligiosa aí vivida.

CAPÍTULO III

Reconstrução sobre Vestígios: Monumento

Os *Apontamentos*... levam, em sua folha de rosto, a data de 24 de maio de 1895. Há quase dois anos Antonio Conselheiro havia-se estabelecido com sua gente no então arraial de Canudos; falta um ano e meio para o início dos embates armados, com o choque entre conselheiristas e um destacamento da polícia baiana. É preciso, portanto, situá-los no contexto mais geral de sua elaboração, a atividade do Conselheiro como líder que, por meio de suas palavras, pretende conferir um significado e uma direção particulares a esse vilarejo que logo seria rebatizado como Belo Monte. Pretendo enfrentar essa questão, sugerindo duas vertentes básicas: articular conteúdos do escrito com o que se sabe da trajetória do arraial, verificando convergências e possibilidades de compreensão; e relacionar as prédicas desse caderno às de outro, as já mencionadas *Tempestades que se Levantam no Coração de Maria por Ocasião do Mistério da Anunciação* (a partir de agora, *Tempestades...*),[1] que surgem num contexto muito mais dramático, quando a guerra contra o Belo Monte já havia dado seus primeiros passos. Antes, porém, será oportuno propor uma rápida exposição sobre a curta trajetória do arraial conselheirista, em vistas a uma melhor avaliação da densidade, significação e efetividade históricas daquilo que, registrado na letra dos *Apontamentos...*, ecoava pela voz do Conselheiro.

1. NASCIMENTO, VIDA E MORTE DE BELO MONTE

São três momentos principais: os antecedentes próximos para o estabelecimento do arraial em junho de 1893, os traços mais importantes de sua configuração histórica e a guerra brutal iniciada em fins de 1896, que após quase um ano o dizimou.[2]

1.1. Protestos e Embate

No início do processo do qual sobreviria o Belo Monte, e no fim da longa trajetória do Conselheiro como pregador ambulante, estão protestos populares contra novos impostos, cuja cobrança foi facultada pela nova Constituição, a primeira republicana, aos municípios; particularmente o chamado "imposto da feira" calou fundo. Esses protestos tiveram a participação

---

[1] Para as citações das *Tempestades que se Levantam no Coração de Maria por Ocasião do Mistério da Anunciação*, faço uso do trabalho publicado por Ataliba Nogueira (*António Conselheiro e Canudos: Revisão Histórica*. 3. ed. São Paulo, Atlas, 1997, p. 57-197), com a sigla TLCM, seguida dos números da página do manuscrito e da edição de Ataliba, separados por uma barra.

[2] Reassumo aqui, de forma resumida e ajustada, o que expus em minha tese de doutorado, agora feita livro: *O Belo Monte de Antonio Conselheiro: Uma Invenção "Biblada"*. Maceió, Edufal, 2015, p. 115-78.

da gente do Conselheiro e a aprovação deste.³ Tais protestos levaram a uma investida da polícia baiana, que, em 26 de maio de 1893, se confrontou, no vilarejo de Masseté, com a gente do Conselheiro, e foi rechaçada. Esses eventos explicitam uma causalidade fundamental para a compreensão de Belo Monte, que surgirá logo depois: a negação da República, presente nos impostos que permitiu, e da nova ordem por ela trazida. As manifestações evidenciam uma consciência e uma cultura política e econômica capazes de inventar uma organização coletiva o máximo possível livre das interferências dos poderes estabelecidos.

"Sob vários aspectos, Masseté foi um grande divisor de águas na vida do beato",⁴ e também de seu séquito. A vitória no embate não os iludiu: era necessário aguardar nova reação. O estabelecimento mais ao norte, em território da comarca de Monte Santo, no longínquo Canudos, logo rebatizado como Belo Monte, e a organização da vida aí surgem como imperativo para a sobrevivência do grupo conselheirista, que, ainda mais agora, será alvo das forças repressoras, por se haver inserido em ponto particularmente delicado e decisivo na implantação da nova ordem social e política nos sertões:

---

³ Manuel Benício registra um incidente, altamente revelador do cenário que estou apresentando: "À feira em questão [na vila de Chorroxó] chegara uma pobre *curuca*, a vender uma esteira que deitara no chão. O arrematante do imposto exigia cem réis pela porção de terreno que a esteira e a pobre velha ocupavam. Esta, que apreciava o valor da esteira em oitenta réis, reclamou, queixou-se em voz alta ao povo, chorando, lastimando-se. Juntou-se gente e todos davam razão à velhota. [...] Conselheiro, na prédica que fez nesta noite se referiu ao caso da velhota alegando: 'eis aí o que é a República, o cativeiro, trabalhar somente para o governo. É a escravidão anunciada pelos mapas, que começa. Não viram a tia Benta (nome da velha), é religiosa e branca, portanto a escravidão não respeita ninguém?!'" ("O Rei dos Jagunços: Crônica Histórica e de Costumes Sertanejos sobre os Acontecimentos de Canudos". Rio de Janeiro, Tipografia do Jornal do Comércio, 1899; reproduzido em Sílvia Maria Azevedo, *O Rei dos Jagunços de Manuel Benício": Entre a Ficção e a História*. São Paulo, Edusp, 2003, p. 146-47).

⁴ Vicente Dobroruka, *Antônio Conselheiro: O Beato Endiabrado de Canudos*. Rio de Janeiro, Diadorim, 1997, p. 177.

> [o Conselheiro] percebe que se tornava impossível manter sua experiência itinerante [...] não tinha mais condições de manter sua peregrinação com um mínimo de segurança para seus acompanhantes e ouvintes [...]. É, pois, dentro desse quadro de ameaças concretas e crescentes que Antonio Conselheiro se vê compelido a redefinir sua prática apostolar.[5]

Segundo o barão de Jeremoabo, o grande "coronel" da região e inimigo acérrimo do Conselheiro, este "subia para o sertão, à escolha do lugar de difícil acesso, onde assentasse seu quartel-general,"[6] em companhia de sua gente. Àquela que se tornaria a "grande aldeia do rio sagrado"[7] ele chegou nos primeiros dias de junho de 1893. Logo o número de habitantes aumentaria ali para alguns milhares, entre os quais membros de tribos indígenas da região e "negros treze de maio", expressão que designava pessoas que, pelo decreto da princesa Isabel, se viram livres da escravidão, mas também das possibilidades mínimas de trabalho e sobrevivência.

1.2. As Marcas de um Arraial

O cotidiano do arraial do Belo Monte se desenvolveu, segundo César Zama, em torno de cinco atividades principais: seus habitantes, segundo ele, "plantavam, colhiam, criavam, edificavam e rezavam".[8] Livres de impostos e fazendeiros, as terras à esquerda do Rio Vaza-barris fervilham de plantações. As terras são cultivadas, principalmente pelos homens. Aqui e ali plantação de pomares e criação de rebanhos de cabras e bodes:

---

[5] João Arruda, *Canudos: Messianismo e Conflito Social*. Fortaleza, UFC / Secult, 1993, p. 81-82.
[6] Cícero Dantas Martins, Carta enviada ao *Jornal de Notícias*, de 4 e 5 de março de 1897. In: João Arruda, op. cit., p. 176.
[7] Emídio Dantas Barreto, "Destruição de Canudos". *Jornal do Recife*, 1912, p. 11.
[8] César Zama, *Libelo Republicano Acompanhado de Comentários sobre a Guerra de Canudos*. Salvador, Diário da Bahia, 1899 (edição fac-similar pelo Centro de Estudos Baianos, 1989), p. 23-24.

CAPÍTULO III | RECONSTRUÇÃO SOBRE VESTÍGIOS: MONUMENTO

Nos tempos ditosos dessa vida sem normas seguiam para diferentes pontos distantes, onde o solo era suscetível de cultura; faziam as suas derrubadas na mataria virgem, de quem quer que fosse, pelas encostas das serras ou pelas margens dos rios; deitavam-lhes fogo para reduzirem a cinza as madeiras desgalhadas; cercavam o sítio queimado, depois, e regressavam a Canudos satisfeitos do seu trabalho. Na estação das chuvas voltavam às roças, dessa forma preparadas; faziam as suas plantações de mandioca, milho, feijão, abóboras e com as recoltas sucessivas que transportavam em cargueiros, abasteciam a *terra santa* de recursos alimentícios para um ano inteiro.[9]

Acrescentem-se os bodes e cabras, cuja criação desempenhou papel decisivo na economia de Belo Monte.

Na proporção de duas para cada homem, chegando na guerra a três, as mulheres fazem a farinha, ou o sal. Moças tecem redes. Sabemos ainda das professoras, que ensinam a meninos e meninas conjuntamente e tiveram uma rua nomeada com a atividade delas. Jovens à caça. Ferreiros nas bigornas fabricam foices, facas e machados. A feira na praça das igrejas. O mutirão permite que todos enfrentem com bravura a escassez sempre ameaçadora.

Efetivamente, se é verdade que a fronteira da pobreza não chegou a ser transposta, nem por isso Belo Monte deixou de representar, para a população que a ela se dirigiu e que com ela manteve expressivo contato, novas possibilidades de vida, manifestadas, entre outras coisas, no significativo comércio estabelecido com diversas aldeias da região, atraindo pessoas com algumas posses a mais, como Antônio Vilanova; com sua gente, ele exerceu forte liderança no terreno comercial, a ponto de seus vales serem amplamente aceitos na região como substitutos do dinheiro.[10] Euclides, a contragosto,

---

[9] Emídio Dantas Barreto, op. cit., p. 14.

[10] Nertan Macedo, *Memorial de Vilanova*. 2. ed. Rio de Janeiro / Brasília, Renes / Instituto Nacional do Livro, 1983; José Calasans, *Quase Biografias de Jagunços: O Séquito de Antônio Conselheiro*. Salvador, Centro de Estudos Baianos da Universidade Federal da Bahia, 1986, p. 58-59. Como se sabe, na economia de Belo Monte não era permitido o uso do dinheiro republicano (Nertan Macedo, op. cit., p. 137).

reconheceu: "O certo é que [Antonio Conselheiro] abria aos desventurados os celeiros fartos pelas esmolas e produtos do trabalho comum".[11] A novidade que o arraial representou para sua população mereceu as declarações apaixonadas de sobreviventes do massacre, em tom basicamente edênico: "Canudos era um pedaço de chão bem-aventurado. Não precisava nem mesmo de chuva. Tinha de tudo. Até rapadura do Cariri". Ou então: "Não havia precisão de roubar em Canudos, porque tudo existia em abundância, gado e roçado, provisões não faltavam".[12]

Assim, o trabalho coletivo e a apropriação também coletiva de parte de seus produtos estimularam que cada indivíduo e cada família se responsabilizassem pela manutenção da coletividade. Mas outro elemento fundamental é o caixa comum, estabelecido para atender as necessidades do arraial, especialmente de pessoas doentes e impossibilitadas para o trabalho. Feito de parte do excedente da produção e dos salários de quem eventualmente trabalhasse nas redondezas, nutria-se também dos recursos que os novos habitantes do arraial traziam, bem como de doações que peregrinos deixavam e de esmolas conseguidas nas redondezas. A prática, tornada preceito, rezava: "Quem tiver bens, disponha deles e entregue o produto da venda ao bom *Conselheiro*, não reservando para si mais que um vintém em cada cem mil réis".[13] Assim,

> cada pessoa tinha o direito de conservar sua criação e roçado. No ato da chegada, cada um entregava metade do que possuía. Os desvalidos eram alimentados. Os demais viviam do seu trabalho [...]. Canudos ia, assim, vivendo sob a vigilância de Conselheiro. Havia gado para o açougue. Os paióis continham provisões. As roças estavam plantadas. Enquanto isso, a

---

[11] Euclides da Cunha, *Os Sertões: Campanha de Canudos*. São Paulo, Ateliê / Imprensa Oficial do Estado / Arquivo do Estado, 2001, p. 305.
[12] Nertan Macedo, op. cit., p. 39, 70.
[13] João Evangelista de Monte Marciano, *Relatório Apresentado, em 1895, pelo Reverendo Frei João Evangelista de Monte Marciano, ao Arcebispado da Bahia, sobre Antonio Conselheiro e seu Séquito no Arraial dos Canudos*. Salvador, Tipografia do Correio da Bahia, 1895 (edição fac-similar pelo Centro de Estudos Baianos, 1987), p. 5.

influência de Conselheiro se estendia pelos sertões, aumentando, por isso, o temor dos fazendeiros e das autoridades.[14]

Belo Monte se tornava visível pelo afluxo cada vez maior de pessoas que a ele se dirigiam, esvaziando as fazendas da redondeza. O porte do arraial, contudo, tornava-se cada vez mais perceptível por conta da constante atividade de construção de habitações para receber os novos habitantes. Tais casas – salvo algumas poucas exceções, chamadas "casas de telha", perto da praça das igrejas – eram

> construídas muito toscamente, sendo as paredes feitas com paus grossos amarrados sob varinhas e cobertos de barro branco. Os tetos de algumas eram feitos de folhas de icó e palha cobertas de barro com pedrinhas roliças. Tinham apenas uma sala, um quarto e um compartimentozinho que servia de cozinha e sala de jantar ao mesmo tempo.[15]

A construção de casas e das igrejas (algo de que tratarei adiante de forma um pouco mais detida) define ruas e vielas, revelando uma organização diferenciada, incompreensível a Euclides da Cunha: "as duas únicas praças que existem excetuada a das igrejas são o avesso das que conhecemos: – dão para elas os fundos de todas as casas; são um quintal em comum".[16]

Nesse lugar, de casinholas aparentemente desalinhadas, em suas igrejas cheias de imagens, reza-se, e muito:

> As beatas rezavam o dia inteiro. Estavam sempre ajoelhadas no oratório, desfiando os rosários, cantando as ladainhas. Até mesmo de madrugada.

---

[14] Abelardo Montenegro, *Fanáticos e Cangaceiros*. Fortaleza, Henriqueta Galeno, 1973, p. 131-32, 134. Há divergências quanto aos percentuais entregues ao Conselheiro, mas não há dúvida quanto à realização de tais doações.

[15] Alvim Martins Horcades, *Descrição de uma Viagem a Canudos*. Bahia, Litho – Typografia Tourinho, 1899 (edição fac-similar pela Empresa Gráfica da Bahia / UFBA, Salvador, 1996), p. 178-79.

[16] Euclides da Cunha, *Diário de uma Expedição*. São Paulo, Companhia das Letras, 2000, p. 176.

De manhã era o ofício. As novenas de Santo Antônio. Cantavam-se os benditos [...]. À boca da noite começava o terço na latada.[17]

Cerimônias peculiares desenvolverão esse apego secular aos santos, numa densidade capaz de incomodar até os mais dedicados missionários:

> As cerimônias do culto a que [Antonio Conselheiro] preside, e que se repetem mais amiúde entre os seus, são mescladas de sinais de superstição e idolatria, como é, por exemplo, o chamado *Beija* das imagens, a que procedem com profundas prostrações e culto igual a todas, sem distinção entre as do Divino Crucificado, e da Santíssima Virgem e quaisquer outras.[18]

Seja como for, diante das imagens, cantorias e ladainhas, terços e devoções marcam o cotidiano da gente belomontense, estabelecem o diálogo da terra com o céu e fortalecem o arraial na coesão tão necessária. Mas não é só, o quadro é mais complexo. Memórias indígenas a respeito de Belo Monte dão conta de traços explícitos de uma religiosidade fruto de uma circulação criativa de elementos do cristianismo e expressões autóctones.[19] A festa do cururu dos Kiriri, realizada em agosto, mês da quebra do milho, deixou de ser realizada quando os "entendidos", os que sabiam preparar a jurema, morreram nos combates defendendo Belo Monte.[20] Por outro lado, o Pai Cabungá tratava de fazer mandingas e enfeitiçar bebidas,[21] e o curandeiro Manoel Quadrado, divulgador das proezas do anterior, era um misturador de "meizinhas e rezas",[22] conhecedor não apenas

---

[17] Nertan Macedo, op. cit., p. 68.
[18] João Evangelista de Monte Marciano, op. cit., p. 5 (destaque do autor). Veja a descrição de Euclides da Cunha desse ritual (*Os Sertões*..., p. 314-16).
[19] Maria Lucia Felicio Mascarenhas, *Rio de Sangue e Ribanceira de Corpos*. Salvador, UFBA, 1995, p. 33. (Monografia de bacharelado)
[20] Maria de Lourdes Bandeira, *Os Kariri de Mirandela: Um grupo indígena integrado*. Salvador, UFBA, 1972, p. 82-83.
[21] Manuel Benício, op. cit., p. 208-10.
[22] José Calasans, op. cit., p. 78.

de mandingas contra cobra, mas dos atributos de inúmeras ervas e recursos da região, utilizados em benzeduras.²³ Tem razão Euclides da Cunha em caracterizar a religião do Belo Monte em particular, e do sertanejo em geral, como uma "religião mestiça". Foi ela que, no fim das contas, acabou por aterrorizar os inimigos que ali chegavam para o combate. E, com toda a certeza, animou até o fim trágico, configurando a resistência impressionante de que a obra-prima de Euclides da Cunha dá eloquente testemunho.

1.3. A Guerra

No que diz respeito à guerra, entre novembro de 1896 e outubro de 1897, não é preciso elencar os lances, as expedições que no fim deram conta do arraial conselheirista; exposições nesse sentido são facilmente encontradas.²⁴ Reflitamos aqui sobre alguns dos fatores indispensáveis à compreensão desse trágico evento que encontrou um arraial "rezando e caindo na bala",²⁵ até a destruição completa.

> Num primeiro momento Belo Monte foi percebido muito mais como ameaça e risco para a ordem social e política baiana, e em particular para "os fazendeiros e chefes políticos da região", e isso já desde Masseté. Foi neste âmbito mais restrito que se desenvolveram os primeiros lances visando à destruição do arraial. Como vimos, este indicou a viabilidade de alternativas sociais e religiosas em que a dependência frente às estruturas de poder estabelecidas não era inevitável; o que, certamente, se espalhou pelos sertões. A queixa recorrente dos fazendeiros e políticos recai sobre a perda da mão de obra barata e abundante de que

---

[23] Manuel Benício, op. cit., p. 210-11.
[24] Veja Edmundo Moniz, *Canudos: A Guerra Social*. 2. ed. Rio de Janeiro, Elo, 1987, p. 103-268 (sem conta a parte III de *Os Sertões...*, justamente intitulada "A Luta").
[25] Dizeres de índio Kiriri cujos antepassados viveram em Belo Monte e participaram da guerra (recolhido por Maria Lucia Felicio Mascarenhas, op. cit., p. 33).

dispunham; grande parte dela estava largando tudo e se dirigindo para junto do Conselheiro. Parecia-lhes o segundo grande golpe, após o 13 de maio: "Com a abolição do elemento servil ainda mais se fizeram sentir os efeitos da propaganda [conselheirista] pela falta de braços livres para o trabalho".[26] Efetivamente "a grande propriedade fundiária foi, assim, fator importantíssimo na mobilização contra Canudos e na aceitação dos resultados devastadores dos combates que então se travavam".[27] O expressivo contingente negro no arraial só veio reforçar a tendência de desclassificação de seus habitantes, tomados como monomaníacos, sicários, endiabrados fanáticos, assassinos, etc.

Mas Belo Monte contribuiu também para aguçar os conflitos no interior da elite baiana e, a seguir, do regime republicano com seus grupos em conflito: "foi a disputa pelo poder, na Bahia e na Capital Federal, que conferiu dimensão oficial a Canudos".[28] Se as cisões no interior da política baiana, com momentos inclusive de dualidade de poder (no Executivo e no Legislativo), explicam, por um lado, a ausência de uma repressão imediata à gente conselheirista após Massseté, esclarecem também as articulações que deflagrariam a guerra, três anos e meio depois.[29] O titubeio inicial do governador Luis Viana, que enfim enviou a tropa policial sob o comando do tenente Pires Ferreira (em novembro de 1896), sugere que o movimento conselheirista ainda era tido como problema menor. Ou poderia ser visto, e houve quem assim o notasse, como uma atitude destinada a provocar o barão de Jeremoabo e sua corrente política. A fuga da tropa só fez crescer o prestígio do Conselheiro e sua gente e, por outro lado,

---

[26] Cícero Dantas Martins, op. cit., p. 174.
[27] Consuelo Novais Sampaio, "Canudos: A Construção do Medo". In: _____ (org.), *Canudos: Cartas para o Barão*. São Paulo, Edusp, 1999, p. 59.
[28] Idem, op. cit., p. 105.
[29] Para um detalhamento da realidade política baiana na época, pode-se ler: Ibidem; Idem, *Partidos Políticos da Bahia na Primeira República*. Salvador, Edufba, 1999; Idem, op. cit., p. 31-85. Para a questão dos bastidores das duas primeiras expedições, o texto de Edmundo Moniz é exemplar: op. cit., p. 103-26.

alarmar os fazendeiros e aguçar a crítica dos opositores ao governador baiano, logo acusado de conivente e simpatizante. O fracasso da segunda expedição, que demorou quase dois meses (de novembro de 1896 a janeiro de 1897) para se aproximar de Belo Monte e em poucos dias teve sua retirada decidida pelo comandante, o major Febrônio de Brito, evidenciou a luta nos bastidores do poder, agora com a intromissão do Exército, além de mostrar a relutância do governo estadual em agir mais agressivamente, esperançoso dos serviços que o movimento conselheirista lhe poderia prestar na região controlada por seus inimigos políticos. Tal cenário acabou por transferir a responsabilidade pela eliminação de Belo Monte para o governo federal. Os acontecimentos relativos a Belo Monte ecoam em todo o país:

> A opinião pública se levantou como um só homem para exigir que se continuasse a luta, até que esta produzisse um resultado satisfatório e digno para a legalidade. Do norte ao sul do país correu – desde logo – um frêmito de profunda indignação. Canudos começou a ser apontado como o valhacouto de rebeldes, cujo timbre consistia em ludibriar a república, formando um Governo à parte, e pretendendo uma independência que, por ser absurda, os colocava mais ainda fora da lei [...]. O princípio da autoridade estava comprometido, senão seriamente abalado, com a permanência da cidadela de Canudos.[30]

Com essa transferência de atribuições entram em jogo novos personagens políticos, lidando com interesses mais largos, que no fim mexiam com a própria constituição da República. O fato de estar na presidência um baiano, Vitorino Pereira, que substituía o adoentado Prudente de Morais, permitiu que Belo Monte fosse inserida na teia de articulações e conflitos de que o empenho do vice em derrubar o titular era apenas um lance. De fato, vivem-se na época acalorados debates entre correntes republicanas antagônicas, sem contar

---

[30] Aristides Milton, "A Campanha de Canudos". *Revista Trimestral do Instituto Histórico e Geográfico Brasileiro*, Rio de Janeiro, vol. 63, parte 2, p. 61-62, 1902.

a presença de grupos monárquicos atuantes, com os quais Antonio Conselheiro e sua gente foram logo identificados:

> O Poder executivo da república [...] entendeu que a honra da pátria e o futuro das instituições corriam o risco de ser sacrificados nessa emergência que, por sua gravidade, tanto a uma como a outro poderia ser fatal. Era provável, senão certo, que os adversários da situação política dominante viessem a lucrar com qualquer desastre, que algum dia sofressem as tropas legais; pois assim eles cobrariam forças e estímulos, em proveito de seus interesses, e aspirações insensatas.[31]

A indicação do coronel Moreira César para comandar a terceira expedição e a posterior nomeação do general Artur Oscar como chefe da campanha seguinte são significativas: ambos eram ligados aos setores jacobinos da República. A inesperada derrota do primeiro, no início de março de 1897, que todos aguardavam submetesse "ao domínio da lei o formidável núcleo de rebeldes ao mando de um vesânico",[32] só veio reforçar o sentimento generalizado de que Belo Monte deveria a qualquer custo ser destruído, pois o que estava em jogo era o próprio destino da República, com suas promessas de desenvolvimento. E quando o caráter monarquista-restaurador do arraial começar a virar névoa aos olhos da opinião pública, será tarde: o monstro construído já estava sendo combatido e resistia ferozmente a duas colunas de soldados, envergonhando o Exército e líderes até então consagrados, e exigindo reforço militar ainda maior, nas semanas finais do combate. Não cabia senão a destruição total, transformar o arraial em "vastíssimo cemitério com milhares de

---

[31] Ibidem, p. 63-64. Alexandre Otten, portanto, tem razão quando diz: "Canudos não foi o palco principal da Guerra de Canudos. Quem estava em jogo era a jovem República no litoral com seus problemas vitais. Os rebeldes de Canudos são figurações na luta pelo poder que se trava no Rio e nos principais Estados" (*"Só Deus é Grande": A Mensagem Religiosa de Antonio Conselheiro*. São Paulo, Loyola, 1990, p. 19).

[32] Henrique Duque-Estrada de Macedo Soares, *A Guerra de Canudos*. 3. ed. Rio de Janeiro, Philobiblion / Instituto Nacional do Livro, 1985, p. 30.

cadáveres sepultados, outros apenas mal cobertos de terra e o pior de tudo, outros milhares completamente insepultos".[33] O presidente, de novo Prudente de Morais, exigira: "não fique pedra sobre pedra".[34] Poder-se-á, alguns dias depois, comemorar: "felizmente de Canudos só existe um montão de cinzas".[35] Já para os belomontenses, a guerra final não era destruição apenas do arraial, por meio de uma violência incompreensível, mas das possibilidades tão sonhadas, pois o que se estava a defender era "o seu direito de vida e propriedade contra um governo audaz, prepotente e sem a menor noção de seus deveres";[36] daí as lamentações, recolhidas aqui e ali:

> Por que não se retiram como fizeram os outros? [...] Os senhores se apoderaram das nossas casas, dos nossos potes, das nossas roupas, de tudo quanto tínhamos e, agora, andamos ao sol e ao sereno, sem termos em que carregar uma gota d'água, nem o que vestir e nem o que comer. Por que se não retiram daqui e não nos entregam as nossas casas onde tínhamos fartura de farinha, feijão e milho? [...] Estávamos em nossas casas sossegados e vocês vieram nos matar.[37]

Uma rápida palavra sobre a contribuição, para que a guerra viesse a eclodir, da Igreja Católica, cujas mais altas hierarquias viam no arraial conselheirista uma grave ameaça a suas prerrogativas. O afastamento

---

[33] Favila Nunes, citado por César Zama, op. cit., p. 39.
[34] Citado por César Zama, op. cit., p. 31.
[35] "Carta de Manuel F. Meneses ao Barão de Jeremoabo, em 9/11/1897". In: Consuelo Novais Sampaio (org.), op. cit., p. 224.
[36] César Zama, op. cit., p. 29.
[37] Falas da gente aprisionada, já no final dos combates (In: Emídio Dantas Barreto, op. cit., p. 252-58). O militar Henrique Duque-Estrada de Macedo Soares, participante da última expedição, registra: os sertanejos "lançavam-nos em rosto o nosso inqualificável procedimento, vindos de tão longe, devastar seu Belo Monte, roubar suas panelas, seus potes; comer suas cabras e estragar as plantações, e – sacrilégio! – danificar as igrejas, de onde o *Bom Jesus* tantas felicidades prometia-lhes, inclusive a ida ao Céu"! (op. cit., p. 180-81)

definitivo da quase totalidade da hierarquia católica baiana em relação ao Conselheiro se deu após as manifestações que desembocaram no conflito de Masseté. A simpatia de muitos padres pelo antirrepublicanismo do Conselheiro não ia até a confrontação aberta ao poder estabelecido. Nem seriam lembrados os serviços que ele, com sua gente, prestara durante anos no sertão, construindo e restaurando igrejas e cemitérios. A missão de frei João Evangelista de Monte Marciano, realizada entre 13 e 21 de maio de 1895 (não esquecer que os *Apontamentos...* são datados de 24 de maio do mesmo ano!), terá reafirmado essas primeiras impressões e viabilizado o primeiro rompimento efetivo que se dá com movimentos de teor semelhante ao de Belo Monte. Ocorrida num momento em que os incômodos provocados pela existência do arraial já tinham subido de tom, a missão foi o sinal de que a percepção eclesiástica do que ocorria em Belo Monte ficou mais saliente; ao mesmo tempo materializava o esforço de reaproximação com o poder republicano e formulava a última palavra sobre uma experiência religiosa desenvolvida à margem do seu controle: o arraial tem de ser dissolvido.[38] Essa perspectiva explica bem o apoio eclesiástico que a guerra haveria de alcançar, durante todo o seu transcorrer.

2. OS *APONTAMENTOS...* E O ESTABELECIMENTO DO BELO MONTE

Que sentido fazem os conteúdos dos *Apontamentos...* em meio a esse cenário cujos traços e movimentos principais se procurou caracterizar? O vínculo principal entre ambos está em que o líder incontestado do novo arraial surgido às margens do Rio Vaza-barris é também aquele cujo nome aparece subscrevendo o manuscrito. Nas meditações que o compõem se encontram elementos

---

[38] Em carta o papa Leão XIII, exortara os bispos brasileiros a esta reaproximação. Sobre a missão de frei João Evangelista veja meu *Missão de Guerra: Capuchinhos no Belo Monte de Antonio Conselheiro*. Maceió, Edufal, 2014.

importantes do ideário que o Conselheiro terá pretendido ver implantado e vivido no arraial.

Para o Conselheiro, Belo Monte é a última etapa de seu percurso de quase vinte anos andando pelos sertões nordestinos conduzindo orações, construindo e reformando açudes e cemitérios. Seus percursos o levavam "para onde me chamam os mal-aventurados".[39] Estabelecido agora na então Canudos, dali ele atrai os mal-aventurados do sertão...

O que lhe terá significado este vilarejo que logo tratou de renomear? Os *Apontamentos...* de alguma forma o indicariam? A cruz que foi fincada na praça das igrejas estaria ali como símbolo maior, naquele arraial, do reconhecimento de que "da árvore da Cruz brota o pomo de vida que se perdeu no Paraíso terreal; de seu tronco misterioso rebentam viçosos ramos que se elevam até o Céu"? E de que não cabe senão abraçar-se "com o Lenho sagrado em que esteve pendente o Salvador do mundo; seja Ele neste desterro nossa consolação, assim como é nossa fortaleza e nossa esperança" (APDL, p. 131)?

Vamos a um registro externo, mas proveniente de testemunha ocular, o missionário João Evangelista, já citado. Em seu relatório sobre a missão que pregou em Belo Monte, afirma ter ouvido do Conselheiro, quando o questionou sobre as pessoas armadas que encontrou no arraial, a seguinte justificativa:

> É para minha defesa que tenho comigo estes homens armados, porque v. revma. há de saber que a polícia atacou-me e quis matar-me no lugar chamado *Maceté* (sic), onde houve mortes de um e de outro lado. No tempo da monarquia deixei-me prender, porque reconhecia o governo; hoje não, porque não reconheço a República.[40]

A rebeldia do líder do Belo Monte frente ao regime político recém-implantado no país estende-se ao arraial por ele liderado, e é compatível com a exortação à obediência que se lê a certa altura dos *Apontamentos...*:

---

[39] Manuel Benício, op. cit., p. 86.
[40] João Evangelista de Monte Marciano, op. cit., p. 4.

> Quando obedecemos a um homem revestido de autoridade, obedecemos a Deus; ele é o único Monarca, e todo o poder legítimo é uma emanação de sua Onipotência Eterna. Todo poder vem de Deus, diz o Apóstolo, está sujeito a uma regra divina, tanto na ordem temporal, como na espiritual, de sorte que, obedecendo ao Pontífice, ao Príncipe, ao Pai a quem é realmente Ministro de Deus para o bem, a Deus só obedecemos (p. 161-62).

Ao introduzir a categoria da legitimidade para a caracterização do poder a que se deve obediência, a prédica aponta, em termos argumentativos, para a mesma direção que a simples existência de Belo Monte sugere. É a obediência, em última instância, a Deus que funda a rebeldia de que o Belo Monte é sinal eloquente, e inquietante a tantos.

É curioso notar como essa convergência fica reforçada quando se lê outra passagem do relatório de frei João Evangelista: "Os aliciadores da seita se ocupam em persuadir o povo de que todo aquele que quiser se salvar precisa vir para os Canudos, porque nos outros lugares tudo está contaminado e perdido pela República":[41] também pessoas do séquito conselheirista assumem e propagandeiam que o cenário político brasileiro demanda o afastamento dele, e o Belo Monte, este "núcleo [...] de ousada resistência e hostilidade ao governo constituído no país" onde "não são aceitas as leis, não são reconhecidas as autoridades, não é admitido à circulação o próprio dinheiro da República",[42] apresenta-se como que o refúgio a acolher a quantos se deem conta de tal situação. Note-se, contudo, que esse quadro é pintado, nos testemunhos da gente sertaneja que acompanhou o Conselheiro, com cores peculiares. São, a se confiar nos testemunhos de José Aras, as histórias bíblicas do Êxodo e da conquista da terra prometida (sim, as mesmas sobre as quais se compõe a "Sequência Bíblica" identificada nos *Apontamentos...*), as inspirações que teriam motivado a marcha rumo às margens do Vaza-barris: ela "lembrava [a seus participantes] o povo de Israel acompanhando Moisés na fuga para o Egito, ansiosos de atravessarem o Mar Vermelho para se

---

[41] Ibidem, p. 5 (o destaque é meu).
[42] Ibidem, p. 7.

livrarem do Faraó".⁴³ Lembrança forte o suficiente para renomear os acidentes geográficos, e não só eles: "o Conselheiro era Moisés, o Vaza-barris seria o Nilo ou o Mar Vermelho, e o píncaro do Cocorobó era o monte Sinai".⁴⁴

Com esses dados, não mais surpreenderá tomar contato, então, com o que registra frei João ter ouvido dos mesmos "aliciadores da seita" já mencionados; segundo eles, o Belo Monte "é a terra da promissão, onde corre um rio de leite, e são de cuscuz de milho os barrancos".⁴⁵

Assim, o não reconhecimento da República e de seu governo, formulado claramente pelo Conselheiro a frei João, encontra no séquito do Conselheiro mais do que uma aceitação passiva: enredos constitutivos do imaginário religioso deste lhe dão fundamento. E a obediência apregoada nos *Apontamentos...* vê-se, então, concretizada de forma bem peculiar: no próprio estabelecimento do arraial do Belo Monte. Daí posso, então, considerar como lances da história da vila conselheirista eventualmente conferem uma concretude particular aos enunciados que se leem nos *Apontamentos...*; ao mesmo tempo, detalhes dessa mesma história podem ser melhor compreendidos à luz do teor deste escrito. Disso trato nos tópicos seguintes.

2.1. Antonio Conselheiro no Belo Monte, entre a Letra e a Voz

Para que se possa dar conta da relevância que poderão ter tido, no Belo Monte, os conteúdos das prédicas que compõem os *Apontamentos...*, será conveniente fazer a pergunta pelos testemunhos a respeito da palavra de Antonio Maciel feita conselho, ensino, consolo. Felizmente eles, embora poucos, são significativos.

---

⁴³ José Aras, *Sangue de Irmãos*. Salvador, Museu do Bendegó, 1953, p. 26.
⁴⁴ Ibidem, p. 149. Aras registra aí o que afirma serem "comparações dos fanáticos", de que ele se recordava.
⁴⁵ João Evangelista de Monte Marciano, op. cit., p. 5. Sobre a relevância dessas formulações recolhidas por frei João e José Aras, pode-se ler meu trabalho já mencionado: *O Belo Monte de Antonio Conselheiro...*, p. 183-95.

Essa palavra tem força própria, não é difícil notá-lo, mesmo antes do estabelecimento de Belo Monte. Já em 1882 o arcebispado da Bahia intervém, por meio de uma carta endereçada aos vigários, proibindo a cessão, ao Conselheiro, do uso da palavra nas igrejas:

> Chegando ao nosso conhecimento que, pelas freguesias do centro deste arcebispado, anda um indivíduo denominado *Antonio Conselheiro*, pregando ao povo que se reúne para ouvi-lo doutrinas supersticiosas e uma moral excessivamente rígida com que está perturbando as consciências e enfraquecendo, não pouco, a autoridade dos párocos destes lugares, ordenamos a V. Revma. que não consinta em sua freguesia semelhante abuso, fazendo saber aos paroquianos que lhes proibimos, absolutamente, de se reunirem para ouvir tal pregação, visto como, competindo na Igreja Católica, somente aos ministros da religião, a missão santa de doutrinar os povos, um secular, quem quer que ele seja, ainda quando muito instruído e virtuoso, não tem autoridade para exercê-la. Entretanto sirva isto para excitar cada vez mais o zelo de V. Revma no exercício do ministério da pregação, a fim de que os seus paroquianos, suficientemente instruídos, não se deixem levar por todo o vento de doutrina [...].[46]

Com certeza a determinação superior em geral não foi observada, como constata outro documento arquiepiscopal, este datado de 1887:

> Chegando ao meu conhecimento [do arcebispo] [...] que o indivíduo de nome Antonio Vicente Mendes Maciel, conhecido nas populações pelo nome de Antonio Conselheiro, tem pregado doutrinas subversivas, fazendo um grande mal à religião e ao estado, distraindo o povo de suas ocupações [...].[47]

---

[46] Extraído de Manuel Benício, op. cit., p. 77.
[47] Ibidem, p. 74.

Inclusive se sabe que, quando da proclamação da República, os vigários preferiram apelar ao Conselheiro para desancar o novo regime, em vez de se exporem, eles mesmos, a essa tarefa:

> Maciel foi então bem recebido pelos seus mais fervorosos inimigos de outrora [o clero], que o estumavam a alevantar o grito missionário contra os princípios da República herética. [...] E não era só a República procurar acabar com a religião, como dizia a propaganda clerical pela boca do inculto senhor das trevas [...].[48]

Obviamente para o estabelecimento do Belo Monte a palavra do Conselheiro terá sido decisiva, como sugere o já mencionado testemunho de José Aras referente à intervenção em Cumbe, após o episódio de Masseté, e "era preciso ser um homem fora do comum para se impor à multidão por meio da palavra e do gesto, como Antonio Conselheiro o fazia".[49] E já no Belo Monte Antonio Maciel continua a ser o "Conselheiro"; segundo o já citado frei João Evangelista de Monte Marciano, ele "costuma reunir em certos dias o seu povo, para dar-lhe *conselhos*, que se ressentem sempre do seu fanatismo em assunto de religião e da sua formal oposição ao atual regime político".[50]

O venerável ancião, "inculto", mas de "penetração aguda",[51] materializava sua autoridade nas palavras que organizavam a vida, davam-lhe sentido e permitiam olhar o futuro.

Mas deixo que algumas vozes testemunhem o impacto que as palavras do Conselheiro terão produzido na gente que o acompanhou e nele apostou. Francisca Guilhermina, cinquenta anos após o massacre, diz lembrar-se de ver o Conselheiro "falando manso, de tarde, para o povo e só dava conselhos

---

[48] Ibidem, p. 142-143.
[49] Aristides Milton, op. cit., p. 7.
[50] João Evangelista de Monte Marciano, op. cit., p. 5.
[51] Emídio Dantas Barreto, op. cit., p. 10.

bons".[52] Segundo outra sobrevivente, Maria Guilhermina de Jesus, "havia muita fé no Conselheiro e os ensinamentos dele eram uma felicidade ouvir, pois só pregava para o bem".[53] Nas missas rezadas a cada quinze dias pelo padre Vicente Sabino dos Santos, os sermões são do Conselheiro.[54] A palavra do Conselheiro é poderosa, mesmo quando não emitida; é capaz de motivar o questionamento daquela do missionário, descompassada em relação ao que sua gente vive; a polêmica em torno do que o frei entende por jejum ("é comer a fartar", segundo o sertanejo) é mais que significativa.[55]

Mas no Belo Monte há outro elemento a reforçar a autoridade das palavras do Conselheiro: a identificação dele com a figura bíblica de Moisés, que avança ao ponto de o monte vizinho ao arraial ser entendido como não outro que o Sinai, o local da entrega do Decálogo a Moisés e, nos termos dos *Apontamentos*..., da realização da "aliança de Deus com Israel".[56] Parece mesmo que a palavra do Conselheiro terá ecoado de maneira particularmente especial quando se punha a expor o conteúdo dos Dez mandamentos. De acordo com Honório Vilanova, "o Peregrino estava sempre presente e sempre pronto a repetir os Mandamentos da Lei de Deus e aconselhar o povo".[57] Mais ainda: eram tais exposições que acabavam por quebrar o silêncio, já que ele "conversava pouco, falava quase nada. Só quando tinha conselhos a dar e pregar os Mandamentos da Lei de Deus".[58] Será coincidência que os *Apontamentos*... sejam tomados, em quase metade de suas páginas, por exposições sobre os Dez mandamentos? E que elas, além de abrirem a sequência de prédicas, sejam antecedidas de um título mais curto: "Apontamentos dos Preceitos da Divina Lei de Nosso Senhor Jesus Cristo" (APDL, p. 3), que retoma o mais extenso lido na folha de rosto?

---

[52] Odorico Tavares, *Canudos: Cinquenta Anos Depois (1947)*. Salvador, Fundação Cultural do Estado, 1993, p. 40.
[53] Ibidem, p. 50.
[54] Euclides da Cunha, op. cit., p. 109.
[55] João Evangelista de Monte Marciano, op. cit., p. 6.
[56] Parte do título de uma das prédicas (APDL, p. 199).
[57] Nertan Macedo, op. cit., p. 68.
[58] Ibidem, p. 69.

2.2. Os *Apontamentos*... e a Organização da Vida em Belo Monte

É óbvio que a relevância da pregação dos mandamentos divinos pelo Conselheiro não pode ser aquilatada pela mera quantificação de páginas em que a exposição deles se encontra no interior dos *Apontamentos*... É preciso notar que ela terá sido capaz de embasar um *modus vivendi*, um *éthos*, ou, para usar os termos de Honório Vilanova, uma regra. Deixemos falar o afilhado do peregrino:

> Recordações, moço? Grande era o Canudos do meu tempo. Quem tinha roça tratava de roça, na beira do rio. Quem tinha gado tratava do gado. Quem tinha mulher e filhos tratava da mulher e dos filhos. Quem gostava de reza ia rezar. De tudo se tratava porque a nenhum pertencia e era de todos, pequenos e grandes, *na regra ensinada pelo Peregrino*.[59]

A palavra do Conselheiro é fonte e sustento da experiência belomontense. Ela sugere uma ética a ordenar a vida do arraial, caminho seguro para a salvação eterna das almas. Vejamos algumas materializações desse ideário.

Em primeiro lugar, algo que terá calado fundo, entre amigos e inimigos do arraial. A recepção criativa das palavras do Conselheiro, aliada à certeza de estar se refazendo a saga dos hebreus libertados, propiciou à gente do Belo Monte ensaiar uma recriação da forma de vida da primeira comunidade cristã, de Jerusalém, com sua radical partilha dos bens, de acordo com o texto de Atos dos Apóstolos 2,42-47 e 4,32-37.[60] Já o Conselheiro, ainda de acordo com seu afilhado, "não dormia com um tostão de um dia para o outro. Se recebia esmolas, logo as passava a quem se achasse junto dele. Ou mandava comprar panos para vestir os necessitados. Era assim o Peregrino".[61] Recordemos o que

---

[59] Ibidem, p. 67 (o destaque é meu).
[60] Alexandre Otten, "A Influência do Ideário Religioso na Construção da Comunidade de Belo Monte". *Luso-Brazilian Review*. Wisconsin, vol. 30, n. 2, p. 92 , 1993; João Arruda, op. cit., p. 82, 90-92.
[61] Nertan Macedo, op. cit., p. 40.

já se disse sobre as atividades em vistas à sobrevivência cotidiana, o caixa comum destinado ao atendimento das pessoas idosas e demais impossibilitadas ao trabalho, e perguntemo-nos sobre o que esses registros teriam a ver com os seguintes dizeres:

> nesta doutrina [a respeito do sétimo mandamento] nos está ensinando que não devemos excluir a pessoa alguma para deixarmos de a socorrer. Porque todo o próximo tem direito natural para pedir e ser remediado. Tomem o exemplo de São Luís Rei de França, que quando distribuía as esmolas com os pobres, não fazia exceção de pessoa, até aos infiéis socorria; e por essa causa muitos se converteram a nossa Santa Fé; por verem a grande caridade com que um Rei Cristão procedia para com eles. Quem à vista destas verdades se negará de socorrer ao próximo? Quem será tão insensível que vendo o seu semelhante aponto de morrer do mortal golpe, que certamente lhe descarregará a miséria, se desse não for desviado pela sua beneficência? Considerem o valor que tem a caridade diante de Deus, para não deixarem de praticá-la pelo incomparável bem que dela resulta (APDL, p. 87-88).

A organização social de Belo Monte terá sido pensada, em suas linhas gerais, em vistas a viabilizar, entre outras coisas, o "direito natural" que o próximo tem "para pedir e ser remediado"? Ou em função de evitar que o "mortal golpe" aplicado pela miséria faça vítimas no arraial? Por outro lado, pode-se associar a clara ordem para o trabalho – evidentemente, a quem essa atividade é possível – dos *Apontamentos...* ("O homem não pode pois justificar o seu procedimento a respeito de tirar o alheio por mais pobre que ele seja, deve atirar-se ao trabalho para dali tirar o meio de sua subsistência e de sua família" [APDL, p. 88]) com o quadro que se depreende das exposições, vistas há algumas páginas atrás, sobre as atividades cotidianas do arraial?

De qualquer forma, não se pode deixar de perceber o estabelecimento de uma "economia religiosa", claramente diferenciada aos olhares de quem para Belo Monte se dirigiu (e também de quem trabalhou por sua destruição):

Se é verdadeiro que a organização social do Belo Monte, em grande parte, deriva de sua ideologia religiosa, é também inegável que essa religiosidade, com seu apelo de construção de uma fraternidade universal, estabeleceria os traços identificadores do referente *modo de produção sertanejo*, e que desse desenvolvimento só poderia resultar uma concepção de trabalho mutualista, cooperativo, solidário ou, numa única palavra, fraterno.[62]

Doutro lado, é recorrente, nos testemunhos de inimigos do arraial, a afirmação de que a ação e a palavra do Conselheiro instituem uma nova legalidade: "a política dele é toda diferente".[63] O já citado barão de Jeremoabo dizia lamentar "verem-se expostos à venda, nas feiras, extraordinária quantidade de gado cavalar, vacum, caprino, etc., além de outros objetos, por preço de nonada, como terrenos, casas, etc. O anelo extremo era vender, apurar algum dinheiro e ir repartir com o Santo Conselheiro".[64]

Obviamente não pode faltar a linguagem estigmatizante: trata-se da "seita do fanatismo e do comunismo".[65] E não estranhará a fala de uma das figuras mais próximas ao barão, que deplora, por conta justamente dessa "economia religiosa" ensaiada no Belo Monte, que o Conselheiro "possa ter esquecido as coisas do Céu para só cuida(r) no que é exclusivamente terreno".[66] Algo que perante a leitura dos *Apontamentos...* soa risível, para dizer o menos, mas falas desse teor costumam reaparecer em cenários similares...

A percepção da densidade religiosa da organização da vida no Belo Monte, mormente no aspecto da sobrevivência cotidiana, é outro elemento decisivo

---

[62] Paulo Emílio Martins, *A Reinvenção do Sertão: A Estratégia Organizacional de Canudos*. São Paulo, Fundação Getulio Vargas, 2001, p. 96.
[63] Nas cartas enviadas ao barão de Jeremoabo, essa percepção se repete (ver Consuelo Novais Sampaio (org.), op. cit., p. 97, 111, 114; a citação é da p. 131).
[64] Cícero Dantas Martins, op. cit., p. 177.
[65] Ibidem, p. 178. O termo "comunismo" aparece uma vez mais para estigmatizar a vida no Belo Monte (p. 181).
[66] Carta de Aristides Borges ao barão de Jeremoabo, de 02/04/1897, citada por Alexandre Otten, op. cit., p. 332.

para se contestar o caráter milenarista da visão escatológica que Antonio Conselheiro teria buscado incutir em sua gente. Nada, nem nos *Apontamentos...* nem no modo típico da vida no arraial, sugere que ali se estava à espera de uma "salvação total, iminente, derradeira, terrena e coletiva".[67] Dificilmente o quadro que deriva da leitura do caderno que leva o nome do Conselheiro e das informações sobre o cotidiano da vila converte-a numa das "pré-Jerusaléns, salas de espera espirituais onde se aguardava a entrada triunfal 'na mais fértil das terras', no reino miraculoso cheio de bênçãos para o corpo e para a alma".[68]

Mais que apontar para um futuro misterioso, ameaçador e alvissareiro ao mesmo tempo, tudo convoca para a responsabilidade histórica, para a construção da comunidade, para a solidariedade efetiva, em vista à salvação. A recepção dos ensinamentos do Conselheiro, traduzida na organização comunitária do arraial, não contradiz a convicção fundamental de que todos estão aqui de passagem, em peregrinação à pátria celeste: "O que é a vida do homem neste mundo? Não é mais que uma mera peregrinação; que vai caminhando com tanta pressa para a eternidade".[69]

Tomo ainda um outro exemplo, que remete a um tema muito enfocado na pregação religiosa, retomado tantas e tantas vezes na *Missão Abreviada*, o centro do decálogo segundo o *Compêndio* de Nuno Marques, e objeto de tantas advertências e tensões: as imoralidades referidas ao sexto e ao nono mandamentos. É curioso notar que Euclides da Cunha, no seu empenho em traçar o perfil de um Belo Monte contagiado pela expectativa da iminência do fim dos tempos e do reino milenar, que a tudo mais relativizaria, entendeu-o como o espaço em que o desregramento no campo sexual praticamente se tornou a regra:

> Ao saber de caso escandaloso em que a lubricidade de um devasso maculara incauta donzela [Antonio Conselheiro] teve, certa vez, uma frase ferozmente cínica, que os sertanejos repetiam depois sem lhe aquilatarem a torpeza:

---

[67] Robert Levine, *O Sertão Prometido: O Massacre de Canudos*. São Paulo, Edusp, 1995, p. 29.
[68] Ibidem, p. 331-32 (a expressão citada é de Norman Cohn).
[69] Antonio Vicente Mendes Maciel, *Apontamentos*, p. 76.

"Seguiu o destino de todas; passou por baixo da árvore do bem e do mal !". Não é para admirar que se esboçasse logo, em Canudos, a promiscuidade de um hetairismo infrene. Os filhos espúrios não tinham à frente o labéu indelével da origem, a situação infamante dos *bancklings* entre os germanos. Eram legião. Porque o dominador, se não estimulava, tolerava o amor livre. Nos conselhos diários não cogitava da vida conjugal, traçando normas aos casais ingênuos. E era lógico. Contados os últimos dias do mundo, fora malbaratá-los agitando preceitos vãos, quando o cataclismo iminente viria, em breve, apagar para sempre as uniões mais íntimas, dispersar os lares e confundir no mesmo vórtice todas as virtudes e todas as abominações. O que urgia era antecipá-lo pelas provações e pelo martírio.[70]

A leitura dos *Apontamentos...* impede qualquer concessão a mais essa caricatura saída da pena do escritor fluminense. Foi possível notar que justamente na exposição sobre os referidos mandamentos do Decálogo as palavras se tornam mais duras, as exortações ao recato (feminino!), incisivas; mostra-se aqui alguma proximidade com o tom da *Missão Abreviada*. E não há qualquer outro testemunho que dê conta da promiscuidade desvairada que teria tomado conta do Belo Monte. A frase do Conselheiro, citada por Euclides, não é cínica, e isso quem conclui é Odorico Tavares, que ouve um dos sobreviventes do massacre, Manuel Ciríaco, desmentir "a versão de que o Conselheiro contemporizava com os atentados à moral das moças".[71] Mais razão tem o comunista Edmundo Moniz, capaz de situar em outro cenário, muito mais plausível, o aforismo do líder do Belo Monte:

> Mas se Antonio Conselheiro não admitia a violência, aceitava a franqueza dos que cediam diante da tentação ou da impulsividade do próprio temperamento. Ao ter conhecimento de que uma jovem ainda solteira se entregara sem relutância, apenas disse: "Seguiu o destino de todas; passou por baixo da árvore do bem e do mal". Estas palavras [...] eram a réplica aos

---

[70] Euclides da Cunha, op. cit., p. 300-01.
[71] Odorico Tavares, op. cit., p. 48.

moralistas mais exigentes, que pediam a punição da pecadora [...]. Antonio Conselheiro conhecia a falsidade dos preconceitos, bem como o valor da compreensão e da tolerância.[72]

Afinal de contas, não vale o testemunho de Honório Vilanova, segundo o qual "o Peregrino conhecia a fundo a maldade dos homens"?[73] É isso que permite aos *Apontamentos...* registrarem, ao mesmo tempo, tanto o preceito da lei de Moisés, que prevê o apedrejamento da adúltera, quanto as exortações sobre "este delito", tomado claramente "por culpa grave; que tão abominável é" (APDL, p. 109); mas também a atitude benevolente de quem está comprometido com a "salvação dos homens". Há um compromisso subjacente, uma cumplicidade que vincula os habitantes do arraial junto a seu líder; não dá conta de alcançar o objetivo pretendido a simples reprodução do teor legalista, repressivo e amedrontador das pregações do clero.

2.3. Os *Apontamentos...* e a Igreja Católica

O contraste entre a ação do Conselheiro e aquela dos padres e missionários com suas pregações conduz a uma das questões cruciais para a adequada compreensão do lugar do Conselheiro e de seu Belo Monte: a de sua relação com a Igreja Católica, em suas diferentes esferas e acepções. Por que há, sim, de se distinguir, para articular, a compreensão, digamos, teológica, ou doutrinária, que se expressa nos *Apontamentos...* e umas tantas posturas que têm como sujeito o "peregrino" que os subscreve. Vamos, portanto, aos poucos.

Os *Apontamentos...* deixam transparecer uma clara percepção da estrutura organizacional que marca a Igreja Católica, bem como da legitimação teológica que ela carrega. Basta uma passagem que o evidencia: "Há no Sacerdócio cristão, como no da antiga Lei, uma hierarquia Sagrada, composta do Papa, dos Bispos, Sacerdotes, Diáconos" (APDL, p. 210). Mais ainda: os textos expressam com

---

[72] Edmundo Moniz, op. cit., p. 50.
[73] Nertan Macedo, op. cit., p. 123.

vigor que é por meio da ação sacerdotal que as graças divinas são disponibilizadas: "Esta fonte de água viva [que Moisés fez jorrar no monte Horeb] representa as graças que nos Sacramentos recebemos pelo ministério dos Sacerdotes Católicos" (APDL, p. 198). É insistente o apelo a que os fiéis se aproximem dos sacramentos, particularmente o Batismo, a Confissão e a Eucaristia.

Mas não é nessas pontuações que se encontra o foco principal das admoestações que compõem os *Apontamentos*... Quando se fala da missa o acento está na reverência que o momento exige, e nas possibilidades que ele abre para que se façam muitas e muitas orações. A confissão é tida como momento privilegiado para a descoberta das próprias mazelas. Não se pode deixar de notar uma, pelo menos ligeira, mudança de perspectiva, que não terá passado despercebida aos inimigos do arraial, mas também de seus habitantes. Não poderia ser outro, senão o já citado frei João Evangelista, a detectar o problema que na sua perspectiva se colocava, não sem carregar nas tintas e arriscar conclusões: "Quanto a deveres e práticas religiosas, *Antonio Conselheiro* não se arroga nenhuma função sacerdotal, mas também não dá jamais o exemplo de aproximar-se dos sacramentos, fazendo crer com isto que não carece deles, nem do ministério dos padres".[74]

A constatação que o missionário faz é honesta e importante, permitindo que se faça a pergunta pelos termos da presença, relativamente constante (embora por um tempo tenha deixado de ocorrer), do padre Vicente Sabino dos Santos, vigário do Cumbe, no arraial conselheirista. Segundo Honório Vilanova, quando ele aparecia, para "celebrar, batizar e casar na igreja do Peregrino [...] era muito bem recebido. Depois ia embora, com a bolsa regalada".[75] Talvez este último detalhe explique o fato, de si muito curioso, de o vigário da paróquia vizinha, de Pombal, ter chegado a cogitar a divisão da freguesia do Cumbe para que Belo Monte fizesse parte do território sob sua jurisdição...[76]

---

[74] João Evangelista de Monte Marciano, op. cit., p. 5.
[75] Nertan Macedo, op. cit., p. 69. Ainda segundo Vilanova, "Padre Sabino, de Cumbe, que ia muito a Canudos, foi por isso mesmo judiado pelo Coronel Moreira César, o corta-cabeça, e salvo de ser fuzilado pelo Coronel Tamarindo" (p. 37).
[76] Abelardo Montenegro, op. cit., p. 132.

Já a sugestão do frei, de que o Conselheiro, em não se aproximando dos sacramentos, manifestaria seu desapreço pelo ministério dos padres, revela muito mais sobre o pensar do missionário que sobre o líder do Belo Monte. Os sacramentos não são vistos pelo missionário naquilo que podem significar para seus receptores, mas como bens tornados acessíveis unicamente pela ação dos sacerdotes. A sua abordagem, portanto, situa-se na perspectiva clara da instituição eclesiástica e da submissão que esta requer de seus fiéis, pelo estabelecimento de laços de dependência em relação ao clero. Conselheiro e seu grupo carecem dos meios indispensáveis para a salvação, e se os têm à disposição, não os consideram adequadamente.

Vejamos mais essa consideração do missionário sobre o Conselheiro: "inculcando zelo religioso, disciplina e ortodoxia católica, [ele] não tem nada disso; pois contesta o ensino, transgride as leis e desconhece as autoridades eclesiásticas, sempre que de algum modo lhe contrariam as ideias, ou os caprichos".[77]

Aqui se verifica claramente que o problema da ortodoxia não se coloca apenas no plano das ideias e doutrinas verdadeiras, mas também (de forma decisiva, e não só aqui!) no campo da política eclesiástica. Se, com efeito, a estrita ortodoxia católica pouco ou nada teria a objetar aos dizeres encontrados nas prédicas, o que significa o fato de elas serem pronunciadas (e subscritas) exatamente pelo Conselheiro, justamente no Belo Monte? Não convence a afirmação seguinte, em comentário ao referido *Relatório* de frei João: "a razão do conflito entre a seita religiosa de Canudos e a Igreja não dizia respeito a divergências doutrinárias ou questões dogmáticas, mas ao caráter monolítico da estrutura de poder clerical".[78]

Se o autor tem razão ao apresentar o motivo do conflito, peca em não perceber que a estrutura clerical monolítica está estreitamente associada às "divergências doutrinárias ou questões dogmáticas"! Daí que, mesmo parecendo ortodoxo em suas prédicas e conselhos, Antonio Conselheiro possa ser

---

[77] João Evangelista de Monte Marciano, op. cit., p. 5.
[78] José Augusto Carvalho Barretto Bastos, *Incompreensível e Bárbaro Inimigo: A Guerra Simbólica contra Canudos.* Salvador, Edufba, 1995, p. 139.

considerado herege pelo missionário João Evangelista, pelo próprio fato de fazer as prédicas e reunir o povo atrás de si, sem a devida autorização, de antemão negada![79] A análise do discurso, sabe-se bem, não pode ser feita apenas na superfície dos dizeres, mas devem ser percebidos o lugar donde procedem, os interesses que estão em jogo, e como uma "mesma" compreensão pode ser reapropriada e assumir então sentidos e funções absolutamente distintos e contrários àquelas que anteriormente cumpria![80]

Assim, o *Relatório* de frei João Evangelista é mais uma expressão da perspectiva acima exposta, que da desqualificação do pregador deduz a ilegitimidade da pregação, mesmo que na letra esta se apresente inofensiva. Por outro lado, o veredito taxativo do missionário talvez possa ter-se aproveitado do incidente seguinte: "a gente foi se reunindo [...] e com uma algazarra infernal, dirigiram-se para a capela, erguendo vivas ao Bom Jesus, ao Divino Espírito Santo e a *Antonio Conselheiro*, e de lá vieram a nossa casa [...] gritando que não precisavam de padres para se salvar, porque tinham o seu Conselheiro".[81]

Se na superfície essa suposta manifestação da gente conselheirista pareceria indicar uma ruptura peremptória em relação à hierarquia católica (e uma recusa de teores importantes dos próprios *Apontamentos*...), um olhar mais apurado para a complexidade do cenário sugere cautela antes de conclusões fáceis e apressadas. Afortunadamente, uma outra palavra atribuída ao Conselheiro joga alguma luz sobre o problema. Segundo seu afilhado, o Conselheiro, após a partida dos missionários, frei João à frente, assim teria se pronunciado: "Conheço os padres falsos. Os que eu quero, abraço. Aceito quem acredita no Bom Jesus. Ando neste mundo imitando a Deus nosso Senhor. Quando Ele andava

---

[79] Bastos reconhece que o problema fundamental que opôs o Conselheiro à hierarquia católica foi "o exercício do monopólio dos ofícios de salvação e da doutrinação dos povos" (Ibidem, p. 133).

[80] Tem razão Otten quando afirma que "a heresia do Conselheiro é, antes de tudo, o fato de ele se tornar autoridade para o povo simples do sertão e suplantar a Igreja institucional [...] Eclipsando as autoridades eclesiásticas qualquer ortodoxia se torna heresia" (op. cit., p. 322). Ou ainda: "o problema que o beato causa em nível de autoridade e os conflitos nele contidos são passados para o plano da doutrina" (p. 309).

[81] João Evangelista de Monte Marciano, op. cit., p. 6 (o destaque é do autor).

na terra, seguiam-No cinco mil pessoas: e as boas andam em companhia das más porque assim ganham a salvação!"[82]

A distinção entre os padres falsos e os que não o são é decisiva para a avaliação do quadro em que se incluem tanto os enunciados sobre a Igreja Católica lidos nos *Apontamentos...* como a rejeição (pelo Conselheiro e os seus) dos propósitos dos missionários enviados da capital, bem como a aceitação do ministério sacerdotal de padre Sabino, com os sacramentos que ministra. Nesse cenário sinuoso, com vários matizes, é possível encontrar a cena seguinte, impensável em outros contextos: quando frei João, prestes a deixar o arraial após a interrupção de seu trabalho missionário ali, decidida por ele mesmo, amaldiçoou Honório Vilanova e outros conselheiristas que tentavam demovê-lo de sua decisão, teve, como resposta, uma reação inesperada:

> Venâncio, sujeito atrevido e despachado, não se conteve: "O senhor não pode me amaldiçoar!". E, sem esperar a palavra do frade, foi acrescentando: "Eu também lhe amaldiçoo! – e traçou na cara do missionário o sinal da cruz "em nome do Padre, do Filho e do Espírito Santo e da Virgem Maria". O frade foi embora nesse mesmo dia [21 de maio de 1895] e nós voltamos à presença do Peregrino, a quem narramos o sucedido, até mesmo a maldição de José Venâncio contra o pregador.[83]

No estreito limite entre o reconhecimento e a repulsa movem-se Antonio Conselheiro e sua gente. Não dispensam o ministério dos padres, e por isso frei João se enganou profundamente quando, como vimos, insinuou que o arraial não carecia do ministério dos padres. É ainda Honório Vilanova que garante que o último contato com frei João, produtor da dupla maldição referida acima, foi feito em vistas a que o missionário continuasse sua atividade ali e se dirigisse para a "celebração da missa". O diálogo de Venâncio com o frei teria tido o seguinte teor:

---

[82] Nertan Macedo, op. cit., p. 129.
[83] Ibidem, p. 128.

[Venâncio] O Conselheiro está esperando pela missa.
[Frei João] Pois vá se servir da missa dele.
[Venâncio] Se o nosso Conselheiro fosse padre nós não precisaríamos da missa dos outros.[84]

Mas certamente o séquito conselheirista não considera o ministério sacerdotal algo estruturante e visceral da organização religiosa que se está a fazer; nem poderia ser diferente, dados tantos fatores, inclusive a escassez dos padres! E não presta aos sacerdotes, mesmo os mais simpáticos ao arraial, obediência cega. Em Belo Monte se radicaliza uma tendência, própria do catolicismo daquele contexto, bem expressa nas palavras de Cândido da Costa e Silva; vale a longa citação:

> Afeita a viver longe do padre, a gente do sertão habituou-se a prescindir da sua presença. Isto não significa reconhecer-se desvinculada da hierarquia, nem muito menos infensa a ela. São oferecidas, no entanto, condições especiais para viver a sua fé. Um espaço é aberto para que o cristão leigo sinta-se capaz de tomar iniciativas no campo do culto e repassar, com certa liberdade, os conteúdos doutrinais remanescentes. Entregue a si mesmo pela imposição das circunstâncias, ele encontra margem para desenvolver um processo seletivo e reinterpretativo das expressões da fé, em particular do culto que entre nós, como na história milenar do cristianismo, foi o momento privilegiado dessa metamorfose. Nesse filtro as crenças e os ritos sofrem evidentemente alterações, revestem-se de novos conteúdos.[85]

Belo Monte é em boa parte resultado dessa ausência e dessa criatividade, capaz de chocar o dedicado missionário. E os padres, embora portadores indispensáveis das graças divinas (como se lê nos *Apontamentos*..., e em nenhum momento se nega esse estatuto diferenciado a eles), podem também ser vistos como obstáculo, especialmente aqueles que mais agressivamente hostilizem

---

[84] Ibidem.
[85] Candido da Costa e Silva, *Roteiro da Vida e da Morte: Um Estudo do Catolicismo no Sertão da Bahia*. São Paulo, Ática, 1982, p. 23.

as expressões populares de religiosidade e, no caso específico, pretendem inviabilizar a experiência de cristianismo católico que Belo Monte encarnava. Recorde-se que estamos num momento peculiar da história do catolicismo no país, em que se busca impor a figura do padre como indispensável por sobre, e muitas vezes contra, as expressões devocionais tradicionais: "De repente, [o povo] se viu separado dos seus santos, impedido de cumprir suas típicas promessas. E o clero passou a reprovar suas atitudes e costumes religiosos. Não é, pois, de estranhar que alguns desses grupos marginalizados vissem no sacerdote um inimigo de sua religião e de sua fé".[86]

Aos olhos do Conselheiro e de sua gente, é a Igreja Católica que está mudando: a maior evidência disso é a adesão que muitos de sua hierarquia estão dando ao nefasto regime republicano, bem como a hostilidade manifesta às expressões tradicionais da devoção. A ruptura não partiu deles; que ela tenha sido selada por um ato oriundo da hierarquia, constata-se por uma expressão que se lê no *Relatório* assinado por frei João, que bem faz desconfiar dos efetivos objetivos da missão que comandou. Por conta de um incidente, pretexto para o encerramento das atividades do missionário, assim este se expressa, com a certeza do dever cumprido: "A minha missão terminara: a seita havia levado o maior golpe que eu podia descarregar-lhe, e conservar-me por mais tempo no meio daquela gente ou sair-lhes ainda ao encontro seria rematada imprudência sem a mínima utilidade".[87]

Confirma-se, então, que, como pouco depois haveria de ocorrer com a Juazeiro do padre Cícero, também aqui "a ruptura com a hierarquia partiu da própria hierarquia".[88] Mas o líder do Belo Monte, que subscreve os *Apontamentos...*, tem a firme convicção de estar concretizando ali, naquele arraial rebelde, e firmando sobre raízes sólidas, a Igreja Católica.

---

[86] Riolando Azzi, citado em Alexandre Otten, op. cit., p. 302-03.
[87] João Evangelista de Monte Marciano, op. cit., p. 7.
[88] Duglas Teixeira Monteiro, "Um Confronto entre Juazeiro, Canudos e Contestado". In: Boris Fausto (org.), *História Geral da Civilização Brasileira*. 4. ed. Rio de Janeiro, Editora Bertrand Brasil, 1990. t. 3, vol. 2, p. 91.

2.4. Os *Apontamentos*... e a Construção das Igrejas em Belo Monte

Expressão privilegiadíssima desse vínculo do Conselheiro ao ideário e imaginário católico é a dedicação deste, num período de mais de vinte anos, à tarefa de reformar e construir igrejas. Logo chegaremos a considerar as construções do Belo Monte e as formulações a respeito nos *Apontamentos*...; mas cabe registrar o papel central que essa atividade tem na compreensão que o Conselheiro tem de si mesmo, algo que pode ser aquilatado a partir de diversos testemunhos. Num dia de 1876 ele terá dito: "minha ocupação é apanhar pedras pelas estradas para edificar igrejas".[89] Por outro lado, Honório Vilanova garante ter ouvido o Conselheiro dizer que fizera a promessa de construir 25 delas, todas fora do Ceará.[90] E terá chegado perto disso, caso se considere o levantamento feito por José Calasans, sobre as obras do Peregrino, entre reformas e construções de igrejas, capelas e cemitérios,[91] realizadas ao longo de suas andanças pelo sertão.

E quanto ao Belo Monte, um dado talvez seja esclarecedor: a escolha do antigo arraial de Canudos como local para se estabelecer após o incidente de Masseté teria resultado do convite de duas famílias, para que o Conselheiro reconstruísse a igrejinha de Santo Antônio ali existente.[92] Registrem-se também notícias dando conta de que o próprio Conselheiro, com alguns dos seus, terá andado pelas vilas da redondeza, para arrecadar dinheiro e material para as construções no arraial.

---

[89] Waldemar Valente, *Misticismo e Região: Aspectos do Sebastianismo Nordestino*. Recife, Instituto Joaquim Nabuco de Pesquisas Sociais / MEC, 1963, p. 93. Esta afirmação do Conselheiro teria sido feita quando de sua prisão na Bahia e julgamento no Ceará. Ver também Aristides Milton, op. cit., p. 15.

[90] Nertan Macedo, op. cit., p. 37.

[91] José Calasans, "Antônio Conselheiro, Construtor de Igrejas e Cemitérios". In: *Cartografia de Canudos*. Salvador, Secretaria de Cultura e Turismo do Estado da Bahia / Conselho Estadual de Cultura / Empresa Gráfica da Bahia, 1997, p. 61-72.

[92] Luitgarde Oliveira Cavalcanti Barros, "De Belo Monte a Canudos: A Utopia Materializada". *A Tarde Cultural*, Salvador, 29 jan. 1994, p. 8.

E se novas indicações quanto à datação da Igreja de santo Antônio, propondo 1896 e não 1893 como ano do seu término e inauguração, têm razão,[93] pode-se dizer que Belo Monte viveu, em grande parte, em função da edificação das "duas altivas igrejas sinistramente célebres",[94] já que nesse mesmo ano de 1896 (ou, quem sabe, antes) se iniciou a construção de outra, a do bom Jesus, que não chegou a ser terminada, destruída que foi em meio ao bombardeio da quarta expedição enviada contra o arraial. Aliás, um incidente relativo a madeiras compradas, e não entregues aos conselheiristas, para a construção da segunda igreja foi o pretexto para o envio da primeira expedição policial contra o vilarejo.

A edificação das igrejas envolveu grande parte da gente belomontense, e calou fundo entre os inimigos e algozes do arraial:

> Quando o Conselheiro empreendeu os trabalhos da igreja nova grande parte dos homens, deixando a outros a tarefa da lavoura, seguiam em bandos numerosos para as matas distantes à procura de madeiras colossais, que conduziam aos ombros, para o vigamento do templo em construção [...] Por outro lado, as mulheres, as crianças e os velhos, que não podiam abordar outros serviços, entoando estrofes de um sentimentalismo desolador, mal pronunciadas e mal compreendidas, carregavam pedra para o famoso edifício católico [...].[95]

É curioso notar como a construção das igrejas, particularmente a do Bom Jesus, impressionou os diversos cronistas que escreveram sobre (contra) o arraial. Deixemos falarem Manuel Benício e Euclides da Cunha:

> A Igreja Nova estava em obras ainda. Junto às paredes grossas feitas de pedra e de cal, jaziam materiais diversos [...]. Os últimos acontecimentos

---

[93] José Carlos da Costa Pinheiro, "Ano de 1896: Término das Obras da Capela de Santo Antônio de Bello Monte?" *Revista Canudos*, Salvador, vol. 4, n. 1/2, p. 65-74, 2000.
[94] Expressão de Emídio Dantas Barreto, op. cit., p. 137.
[95] Ibidem, p. 17, 19.

precipitaram a construção do templo, cuja solidez deveria ser também uma garantia para os moradores do arraial, em caso de novo assalto. [...] Bem que não houvesse máquinas, nem mecanismos que auxiliassem o serviço, feito unicamente a braço humano, a obra adiantava-se, aos saltos, sem interrupção de outros afazeres.[96]

Uma narração é despretensiosa, mas não deixa de destacar o ardor com que o trabalho duro é realizado sem instrumentos que o facilitem. Vejamos agora como se expressa o escritor de *Os Sertões: Campanha de Canudos*, que, a despeito das palavras depreciativas, não consegue conter a admiração perante tal empreendimento:

> A antiga capela não bastava. Era frágil e pequena. Mal sobranceava os colmos achatados. Retratava por demais, no aspecto modestíssimo, a pureza principal da religião antiga. Era necessário que se lhe contrapusesse a *arx* monstruosa, erigida como se fosse o molde monumental da seita combatente. Começou a erigir-se a igreja nova. Desde antemanhã, enquanto uns se entregavam às culturas ou tangiam os rebanhos de cabras, ou abalavam para "fazer o saco" nas vilas próximas, e outros, dispersando-se em piquetes vigilantes, estacionavam nas cercanias, bombeando quem chegava, o resto do povo moirejava na missão sagrada. Defrontando o antigo, o novo templo erguia-se no outro extremo da praça. Era retangular, e vasto, e pesado. As paredes mestras, espessas, recordavam muralhas de reduto. Durante muito tempo teria esta feição anômala, antes que as duas torres muito altas, com ousadias de um gótico rude e imperfeito, o transfigurassem. É que a catedral admirável dos jagunços tinha essa eloquência silenciosa dos edifícios, de que nos fala Bossuet... Devia ser como foi. Devia surgir, mole, formidável e bruta, da extrema fraqueza humana, alteada pelos músculos gastos dos velhos, pelos braços débeis das mulheres e das crianças. Cabia-lhes a forma dúbia de santuário

---

[96] Manuel Benício, op. cit., p. 211-12.

e de antro, de fortaleza e de templo, irmanando no mesmo âmbito, onde ressoariam mais tarde as ladainhas e as balas, a suprema piedade e os supremos rancores [...].[97]

Passando à gente conselheirista, é interessante notar o lugar que têm os relatos sobre a construção das igrejas nas memórias dos grupos indígenas envolvidos com Belo Monte.[98] Também no depoimento de sobreviventes ao massacre a lembrança das atividades de construção dos edifícios sagrados, junto ao Conselheiro, tem lugar de destaque: "Trabalhei carregando pedras para a igreja nova, trazendo cal da Vargem, a nove quilômetros daqui. Quando a carga era muito pesada, bastava ele [o Conselheiro] tocar, para o pessoal achar que ficava leve".[99]

A leveza do trabalho duro insere-se num contexto muito mais amplo, e da maior relevância para a gente conselheirista: a abertura para o alto e a comunicação com o outro mundo, que organizam seu mundo e seu cotidiano; portanto, "a construção ritual do espaço".[100] E os templos construídos o evidenciaram: o afluxo de peregrinos, as doações, as festas.

Há que se notar também a importância da igreja como organizadora do tempo e das atividades, inclusive durante a guerra. No contexto da carnificina perpetrada pelos soldados da quarta expedição e da valente resistência dos sertanejos, o sino "nunca deixou de dar as ave-marias, como para chamar os fanáticos à meditação e à prece, cujo exercício lhes fortalecia a alma e inflamava-lhes o sentimento da religião";[101] ao tocar, cessam os tiros (e isso para sorte dos militares, conforme reconhecido por eles mesmos em suas narrativas da guerra). Mas o sineiro haverá de morrer enquanto estiver

---

[97] Euclides da Cunha, op. cit., p. 306-07.
[98] Maria Lucia Felicio Mascarenhas, op. cit., p. 28-49.
[99] Maria Guilhermina de Jesus a Odorico Tavares, op. cit., p. 50.
[100] Mircea Eliade, *O Sagrado e o Profano: A Essência das Religiões.* São Paulo, Martins Fontes, 1996, p. 45; veja também Eduardo Hoornaert, *Os Anjos de Canudos: Uma Revisão Histórica.*, Petrópolis, Vozes, 1997, p. 15-17.
[101] Emídio Dantas Barreto, op. cit., p. 241.

a tocá-lo, despedaçado junto aos pedaços da torre da igreja velha, finalmente abatida. E o tempo não será mais o mesmo:

> Ao escurecer, o sineiro ia infalivelmente cumprir o seu encargo [...] num estoicismo sublime desafiava todo o exército, indiferente à fuzilaria e ao canhoneio [...]. Mas numa tarde sucumbiu aquele herói. À hora competente, surgiu ele na torre, empunhando a corda do sino. Aquela, já combalida e quase oscilante por um bombardeio de duas horas, ainda prometia alguns momentos de equilíbrio [...]. Soou a quinta badalada e, ao vibrar a última, dois disparos fizeram-se a um tempo e duas granadas juntas chocaram-se contra o pedaço incólume da torre, que ruiu com grande estrondo, descendo a cúpula bruscamente com o sino, esmagando, pulverizando Timóteo [...] como era natural, nunca mais, soldados e jagunços ouviram as ave-marias em saudação ao Belo Monte.[102]

Destruir as igrejas é elemento fundamental na guerra, não apenas porque estivessem elas transformadas em trincheiras e abrigo dos guerreiros belomontenses, mas porque eram a expressão da legitimidade do empreendimento conselheirista. Arriá-las ao chão baixaria junto os ânimos dos belomontenses, a essa altura já bastante fragilizados na sua capacidade de resistência. Mas também infundiria ânimo aos atacantes, que de alguma forma se viam desautorizados por aquelas portentosas e aterrorizantes construções:

> [A 6 de setembro] o gigantesco monólito [a torre esquerda da igreja nova] inclinou-se lentamente e ruiu com espantoso fragor para a frente e, caindo no solo, estrondou formidavelmente, escurecendo os ares espessa camada de poeira. Por alguns segundos desapareceu o templo, para depois ressurgir mutilado, em forma estranha, tendo perdido seu poder e sua invulnerabilidade [...] descargas sobre descargas de

---

[102] Henrique Duque-Estrada de Macedo Soares, op. cit., p. 164. Também Manuel Benício, p. 204-05.

fuzilaria enviaram milhares de projéteis aos jagunços atônitos e espavoridos, perturbados com aqueles fatos, para eles estranhos [...]. Só à noite cessou a grande animação, que parecia ter infiltrado novo vigor nas fileiras legais.[103]

Assim, entende-se a irresistível atração que os templos sertanejos, especialmente o novo, um "baluarte formidável",[104] exerceram sobre as tropas militares. Destruí-lo era questão de honra. Daí as notícias dando conta das efusivas comemorações quando "caíram afinal as duas grandes torres da igreja nova de Canudos, pontos que dominavam todo o nosso acampamento".[105]

Mas voltemos à gente do Conselheiro. A edificação das igrejas em Belo Monte e o esforço dedicado em fazê-las elevar-se ressaltam as múltiplas formas da devoção dos habitantes do arraial. Os edifícios concentram boa parte dos rituais ali realizados, algo que deve ser entendido em diferentes perspectivas. Ao mesmo tempo que congregam a gente da vila para "momentos privilegiados de experiências altamente gratificantes",[106] justamente por isso contribuem para reforçar a coesão da comunidade. A dedicação em construir os templos em Belo Monte mostra como o Conselheiro e sua gente se entendiam depositários de valores católicos a serem preservados, que, segundo eles, a própria instituição não mais defendia.[107]

Muito da identidade do arraial conselheirista se define a partir daí, como foi percebido de forma eloquente e dramática por Euclides: as orações conselheiristas na igreja estabelecem o calendário e o cronograma da guerra. Marcam os tempos e as ações. Depois da reza das seis da tarde os jagunços não guerreiam; em pleno combate contra os soldados do coronel Moreira César,

---

[103] Henrique Duque-Estrada de Macedo Soares, op. cit., p. 168-69.
[104] Euclides da Cunha, op. cit., p. 348.
[105] Ibidem, p. 173.
[106] A expressão é de Eduardo Hoornaert (op. cit., p. 53).
[107] Duglas Teixeira Monteiro, op. cit., p. 88.

o sineiro da igreja velha interrompeu o alarma. Vinha caindo a noite. Dentro da claridade morta do crepúsculo soou, harmoniosamente, a primeira nota da Ave-Maria [...]. Descobrindo-se, atirando aos pés os chapéus de couro ou os gorros de azulão, e murmurando a prece habitual, os jagunços dispararam a última descarga [...].[108]

E, pouco depois, diante do moribundo coronel, "um rumor indefinível avassalara a mudez ambiente e subia pelas encostas. Não era, porém, um surdo tropear de assalto. Era pior. O inimigo, embaixo, no arraial invisível – rezava".[109] O mesmo se notará no contexto dos combates com as tropas comandadas por Artur Oscar: na hora da Ave-Maria, fim da tarde, o toque do sino, e "o silêncio descia amortecedoramente sobre os dois campos. Os soldados escutavam, então, misteriosa e vaga, coada pelas paredes espessas do templo meio em ruínas, a cadência melancólica das rezas".[110]

Mas é preciso retornar aos *Apontamentos*... O que, a partir deles, se depreenderá eventualmente como sentido para a atividade de construção das igrejas do Belo Monte? Considerem-se em especial as prédicas "Leis do Culto Divino" e "Construção e Edificação do Templo de Salomão". Na primeira delas, ao descrever o tabernáculo estabelecido a partir das determinações dadas por Deus a Moisés, lê-se, ao final, que ele "representa nossas Igrejas Católicas. O Santo dos Santos corresponde ao nosso Altar, onde se imola o sacrifício da nova aliança. O Santuário, à Capela-Mor, onde funcionam os Ministros de Deus; e o adro, à nave onde ficam os fiéis" (APDL, p. 207-08). É de pensar, portanto, que, ao imaginar o antigo tabernáculo, o redator dos *Apontamentos*...

---

[108] Euclides da Cunha, op. cit., p. 477.

[109] Ibidem, p. 484.

[110] Ibidem, p. 593. E no final da guerra, quando a perspectiva da derrota fatal se avizinhava, "não mais se ouviam as ladainhas melancólicas entre os intervalos das fuzilarias" (ibidem, p. 678). Enquanto aconteceram, apavoraram os soldados: "o som monótono dos sinos das igrejas e dos cânticos dos fanáticos, a agonia dos moribundos, e os gemidos dos feridos, ainda mais agravaram o ânimo dos retirantes, já exaustos de cansaço, de fome e de sede" (Nota de jornal sobre a retirada de soldados da expedição Moreira César, op. cit., p. 75).

esteja pensando na arquitetura das igrejas católicas, com suas divisórias internas, e vice-versa. Mas, para além desse pormenor, cabe verificar que a densidade religiosa das construções, prefiguradas no empreendimento israelita: refaz-se ali o sacrifício da nova aliança, adora-se a Deus, e, como se diz na prédica sobre a missa, reza-se, e reza-se muito! Teria sido possível imaginar, a essa época, que as orações realizadas nas igrejas haveriam de produzir um impacto devastador nas hostes inimigas, pior que as investidas furtivas dos ataques?

Já a prédica que trata do erguimento do templo de Salomão – obra que é, "como o antigo Tabernáculo, uma figura das nossas Igrejas" (APDL, p. 220) – destaca, com detalhes variados, a dedicação e o esmero com que foram realizadas a construção e a solenidade de que se revestiu a inauguração do edifício idealizado pelo rei israelita. Estaria a prédica voltada a estimular a gente belomontense para o trabalho de erguimento do santuário de seu arraial? Imaginaria o pregador o dia tão esperado de inaugurar a nova Igreja de Santo Antônio? Faria ele, já, ideia de que seria necessário empreender o levantamento de outro edifício, a ser dedicado ao Bom Jesus, mas que ficaria inacabado, para congregar a gente do arraial? Alexandre Otten traz ainda duas outras sugestões, ao comentar essa prédica, que também consta do caderno publicado por Ataliba Nogueira; vejamos:

> uma autoridade de Itapicuru [vilarejo da região do Belo Monte] acusa [alguns anos antes de seu estabelecimento em Belo Monte] o beato com os seus superiores em Salvador pelo desperdício de dinheiro que traz a construção de uma capela. Nas entrelinhas, lê-se que uma parte da população não via, de modo positivo, as construções do beato.[III]

Teria, então, a referência ao cedro, ouro e demais detalhes da obra salomônica uma pretensão apologética, tratando de justificar, pelos benefícios espirituais daí advenientes, os custos de tais construções? E pela menção do número de pessoas envolvidas nos trabalhos da edificação se pretenderia

---

[III] Alexandre Otten, op. cit., p. 226.

convencer quem não estivesse disposto a colaborar nos esforços necessários à realização do empreendimento? E ainda: terá passado despercebido ao responsável pelos *Apontamentos*... que é justamente um rei, não um presidente, a favorecer o verdadeiro culto a Deus?

Verifica-se, portanto, como os *Apontamentos*... oferecem elementos diferenciados para se avaliar algumas das motivações que terão inspirado o Conselheiro no trabalho de convencimento e na edificação dos templos em Belo Monte. As prédicas oferecem justamente as razões de fundo para tais empreendimentos, símbolos eloquentes do que Belo Monte deveria concretizar, um caminho de salvação. Algo que, ironicamente, foi perfeitamente entendido por Euclides. E, de acordo com este, também pelos militares que confrontaram Belo Monte. Para além do constrangimento que para muitos deles significava alvejar uma igreja, era imperativo destruí-las. As igrejas não apenas eram *do* inimigo; converteram-se, elas mesmas, em inimigas. Foi por isso que no combate praticamente terminal de 1º de outubro de 1897 "um cadete [...] cravara nas junturas das paredes estaladas da igreja a bandeira nacional",[112] naquele lugar onde, até pouco tempo, despontavam, "altaneiras e ameaçadoras",[113] as duas igrejas com suas "torres insolentes".[114] Era o fim.

2.5. Versículos Bíblicos e Belo Monte

É possível verificar, na seção "Textos", a presença de alguns versículos bíblicos que parecem estar isolados. Essa situação demanda esforço particular de compreensão, à medida que eles não aparecem associados a nenhum outro ou merecem algum comentário explicativo. É, agora, o momento de se fazer a pergunta sobre o eventual sentido deles quando se pensa na proclamação deles no âmbito da trajetória de Belo Monte. Tomo aqui dois exemplos.

---

[112] Euclides da Cunha, op. cit., p. 764; Henrique Duque-Estrada de Macedo Soares, op. cit., p. 227.
[113] Henrique Duque-Estrada de Macedo Soares, op. cit., p. 90.
[114] Emídio Dantas Barreto, op. cit., p. 241.

O primeiro deles é Mateus 19,24, que terá determinado, já há tempo, as relações do Conselheiro com pessoas possuidoras de bens: "Mais fácil é passar um camelo pelo fundo de uma agulha do que entrar um rico no Reino dos Céus" (APDL, p. 244). Esse aforismo fala por si, mas é possível dizer mais. Tem-se notícia de que um tal Daniel Fabrício, morador de Riachão do Dantas (Sergipe), testemunhava que, na passagem por essa cidade, entre 1872 e 1874, o Conselheiro teria "aconselhado", recorrendo "à parábola 'da passagem do camelo pelo fundo da agulha'", um certo José de tal (segundo outra fonte, Joaquim da Macota) a deixar seus bens e seguir rumo à "terra prometida". Ainda segundo Fabrício, esse fazendeiro, ao responder positivamente à convocação do Conselheiro, foi um "rico que imitou Mateus".[115] Note-se que a "passagem do camelo" é uma das favoritas do padre Ibiapina.[116] Não é difícil cogitar que essa passagem tenha podido inspirar tantas práticas de socialização, decisivas na configuração peculiar do Belo Monte?

A segunda citação que parece dissociada dos temas preferenciais da coletânea "Textos" é Lucas 19,42: "Ah! se ao menos neste dia que agora te foi dado, conhecesse ainda tu o que te pode trazer a paz; mas por ora tudo isto está encoberto aos teus olhos (APDL, p. 245)".

Assim isolado, o versículo não pareceria ter maior importância, nem se poderia sugerir a que se referiria. Mas, caso se considere que ele faz parte de um lamento de Jesus sobre a Jerusalém incrédula, a presença dele nesse conjunto talvez comece a fazer sentido. Em primeiro lugar porque, embora isolado entre os "Textos", ele também se encontra no interior de uma das prédicas, aquela referente ao terceiro mandamento do Decálogo, no contexto em que são advertidos os incrédulos, que agem como se tivessem os olhos tapados, ao não darem atenção aos emissários de Deus (APDL,

---

[115] Itamar Freitas de Oliveira, "No Rastro de Conselheiro". Disponível em: <http://www.infonet.com.br/canudos/roteiro.htm>. Acesso em: 9 mar. 2003. Com certeza uma alusão ao apóstolo Mateus, que, segundo o evangelho que leva seu nome (9,9-13), era um publicano, cobrador de impostos, e largou seu ofício para seguir Jesus.

[116] Luitgarde Oliveira Cavalcanti Barros, *A Terra da Mãe de Deus: Um Estudo do Movimento Religioso de Juazeiro do Norte*. Rio de Janeiro, Francisco Alves, 1988, p. 102.

p. 43-44).¹¹⁷ E, ainda, esse versículo, ao compor o lamento de Jesus sobre a cidade santa, faz recordar o que frei João afirma, no *Relatório* que assina, ter sentido ao contemplar pela última vez o vilarejo conselheirista:

> Galgando a estrada, ao olhar pela última vez o povoado, condoído da sua triste situação, como o Divino Mestre diante de Jerusalém, eu senti um aperto n'alma e pareceu-me poder também dizer-lhe: Desconheceste os emissários da verdade e da paz, repeliste a visita da salvação: mas aí vêm tempos em que forças irresistíveis te sitiarão, braço poderoso te derrubará, e arrasando as tuas trincheiras, desarmando os teus esbirros, dissolverá a seita impostora que reduziu a seu jugo, odioso e aviltante.¹¹⁸

Poder-se-ia imaginar que, nos *Apontamentos*..., a recuperação desse versículo lucano tivesse direção exatamente contrária? Os olhos encobertos do missionário é que o tornariam um dos "padres falsos", que o Conselheiro sabe identificar? Seguramente, num contexto de guerra latente, a divergência, entre frei João e Antonio Maciel, quanto à compreensão da paz cujo mensageiro é Jesus, é frontal, e não poderia ser mais dramática.

2.6. Os *Apontamentos*... e a Religião Popular no Belo Monte

Um último tópico refere-se ao encontro / desencontro entre o ideário religioso que decorre dos *Apontamentos*... e as linhas principais que enquadram a experiência religiosa da gente belomontense.¹¹⁹ Chamo a atenção, em relação a esta última, para três pontos.

---

¹¹⁷ É nesse sentido que Alexandre Otten (op. cit., p. 245-46) compreende esse versículo, que aparece na prédica conhecida como "Sermão da República" (encontrado em TLCM, p. 617 / p. 193), no contexto em que são criticados os inimigos da religião.
¹¹⁸ João Evangelista de Monte Marciano, op. cit., p. 7.
¹¹⁹ Permito-me, também aqui, recolher dados expostos e desenvolvidos mais extensamente em *O Belo Monte de Antonio Conselheiro*..., p. 254-62, 276-80.

De acordo com Roger Bastide, um eixo fundamental da cultura religiosa sertaneja radica na convergência entre dois mitos, de matrizes distintas:

> O vaqueiro, acuado pela miséria, diante de uma terra ressequida pelo sol, de ossadas de animais e de cadáveres que a morte semeou, de plantas que se transformaram em coroas de espinhos ou em cravos, lanhando-o nos pés e nas mãos, renovando-lhe na carne o suplício da cruz, sonha com uma terra abundantemente cortada de regatos, adornada de eterna vegetação, ofertando doces frutos. Retoma por sua conta, e mistura-os, o mito da "Terra sem Males" do antepassado índio e a história do povo de Israel saindo do Egito em busca da "Terra da Promissão", que é o mito do antepassado português. Daí toda uma série de movimentos místicos e fanáticos, que são apenas o reflexo desta angústia diante da fome [...] movimentos que manifestam, em sua continuidade, a degradação dos elementos indígenas, preponderantes nas formas mais antigas como a pajelança, e sua substituição cada vez mais patente pelas formas cristãs e ocidentais.[120]

Infelizmente Bastide insere suas considerações sobre a religiosidade sertaneja no quadro do que chama "fanatismo religioso", o que se evidencia na última parte da citação acima. Por outro lado, a constatação sugerida por Bastide se associa de forma fascinante às observações de Hilário Franco Júnior sobre a presença e a permanência, no sertão nordestino, do mito medieval da Cocanha.[121]

---

[120] Roger Bastide, *Brasil: Terra de Contrastes*. São Paulo, Difusão Europeia do Livro, 1959, p. 87-88. Saliente-se apenas que não parece conveniente generalizar a "Terra Sem Males" dos índios Apapocúva-Guarani; há todo um conjunto de controvérsias sobre esta questão que não é possível aqui retomar (leia-se, a propósito, Ronaldo Vainfas, *A Heresia dos Índios: Catolicismo e Rebeldia no Brasil Colonial*. São Paulo, Companhia das Letras, 1995, p. 41-46; Maria Cristina Pompa, *Religião como Tradução: Tupi e "Tapuia" no Brasil Colonial*. Campinas, 1995, p. 93-131. (Tese de Doutorado)

[121] Hilário Franco Júnior, *Cocanha: A História de um País Imaginário*. São Paulo, Companhia das Letras, 1998. Como se sabe, Cocanha era o nome de uma "terra imaginária, maravilhosa,

A proximidade entre a versão nordestina da Cocanha e a compreensão do Belo Monte por seus habitantes justifica-se pelo fato de tanto uma como outra recriarem a terra prometida bíblica:

> lá existem tudo quanto é de beleza
> tudo quanto é bom, belo e bonito,
> parece um lugar santo e bendito
> ou um jardim da Divina Natureza:
> imita muito bem pela grandeza
> a terra da antiga promissão
> para onde Moisés e Arão
> conduziam o povo de Israel,
> onde dizem que corria leite e mel
> e caía manjar do céu no chão.[122]

É possível, portanto, pensar como, para a gente estabelecida à beira do Vaza-barris com o Conselheiro, Belo Monte materializa, a seu modo, a articulação entre as duas Terras, a bíblica e a indígena, e ainda o ideário utópico que tem na Cocanha uma manifestação tão expressiva.

Outra marca fundamental a caracterizar a religiosidade sertaneja é a devoção aos santos, como é sobejamente conhecido. Apenas assinalo que em Belo Monte não é diferente. Segundo a visão deformante de Euclides, lugar central nas casinholas do arraial é ocupado pelo oratório: "Neste, copiando a mesma feição achamboada do conjunto, santos mal-acabados, imagens de linhas duras, objetivavam a religião mestiça em traços incisivos de manipansos: Santo

---

uma inversão da realidade vivida, um sonho que projeta no futuro" (Idem, "Apresentação". In: _____ (org.), *Cocanha: As Várias Faces de um País Imaginário*. São Paulo, Ateliê, 1998, p. 10. Trata-se de um mito elaborado por escrito pela primeira vez na França do século XIII e reproduzido em muitas versões, chegando até o Nordeste brasileiro.

[122] Manoel Camilo dos Santos, "Viagem a São Saruê". In: Hilário Franco Júnior (org.), op. cit., p. 175-76. Este cordel surgiu em 1947.

Antônios proteiformes e africanizados, de aspecto bronco, de fetiches; Marias Santíssimas, feias como megeras [...]".[123]

De acordo com o afilhado do Conselheiro, as intermináveis e arrastadas rezas conduzidas pelas beatas acontecem "diante das muitas imagens de santos trazidas pelo povo: Nossa Senhora, Santo Antônio, São Pedro, São João, os Apóstolos. Rezava-se pela madrugada adentro o ofício de Nossa Senhora da Conceição".[124] Recordemos o espanto de frei João perante a cerimônia do "beija" das imagens, a maioria das quais, certamente, era de santos.

Passo ao terceiro ponto. Sem que devamos imaginar aquele "cristianismo de penitência e de apocalipse" que Bastide, fiando-se em Euclides, atribui ao Belo Monte como característica principal, cabe considerar, junto aos elementos anteriores, a presença de temores e esperanças apocalípticas no ideário religioso sertanejo, proeminentes em especial no contexto da guerra. Vejamos algo a respeito.[125]

Há, efetivamente, uma apocalíptica que permeia a religiosidade sertaneja, algo que já vem de séculos.[126] Ela configura aquilo que foi chamado apropriadamente de "cultura do fim do mundo", e instaura "uma dinâmica histórica nova, onde, por um lado, os mitos cosmológicos-apocalípticos (o fim do mundo, o dilúvio, o Juízo Final) são parâmetros de leitura do mundo e da história, e, por

---

[123] Euclides da Cunha, op. cit., p. 293.

[124] Nertan Macedo. op. cit., p. 68.

[125] O conceito "apocalíptica" aqui designa aquela percepção, de ordem escatológica, segundo a qual "a nova ordem ou realidade [a ser instaurada em breve] não é uma reabilitação da ordem presente [...] mas o seu fim e destruição". E daí ele pode abarcar certo universo simbólico, de alguma forma cristalizado em torno da perspectiva escatológico-apocalíptica, capaz de oferecer a dado grupo elementos para a codificação de sua identidade e para a interpretação da realidade circundante (Martinus de Boer, "A Influência da Apocalíptica Judaica sobre as Origens Cristãs: Gênero, Cosmovisão e Movimento Social". *Estudos de Religião*, São Bernardo do Campo, n. 19, p. 11-24, 2001; a citação é da p. 13).

[126] A exposição de Alexandre Otten a esse respeito é esclarecedora (op. cit., p. 287-99), mas, a meu ver, não capta suficientemente o caráter um tanto secundário de tal apocalíptica, particularmente no tocante ao tema do fim, na visão de mundo expressa nos escritos do Conselheiro.

outro lado, os rituais e os agentes do sagrado são instrumentos de intervenção e de modificação da realidade".[127]

Textos de vários lugares e épocas evidenciam a relevância dessa perspectiva escatológica no sertão, associada com situações de seca, guerra e calamidade, além de ser tema preferencial nas missões e pregações do clero.[128] Para além das afirmações sobre o fim do mundo, há que se considerar que essa apocalíptica é decisiva para a compreensão do mundo ao redor, bem como da condenação que este proclama sobre o lugar dos eleitos. Os conflitos e a guerra só haverão de aguçar essa percepção das coisas:

> Talvez a motivação histórica dessa absolutização, ou radicalização, da experiência liminar esteja na consciência da condenação pela sociedade envolvente [...] e, depois, na hostilidade aberta [...]. São os primeiros ataques da polícia ou, de qualquer maneira, os boatos sobre sua iminência [...] o momento de "perda do mundo" e de total reviravolta da dimensão do resgate, com a anulação da história e o triunfo da meta-história.

E a violência sertaneja, bem como a surpreendente resistência até o fim, se inserem aí num quadro de "ruptura radical, sem retorno, com a velha ordem. Ela adquire os traços apocalípticos do Juízo Final: a morte como uma modalidade de 'aproveitar a alma'".[129] Assim, se a perspectiva do fim próximo não explica a razão de ser do Belo Monte, certamente faz sentido (e muito) no ambiente dos combates, ao estimular a admirável resistência às tropas do Anticristo. Alimentada de uma apocalíptica que é mais do que anúncio da imi-

---

[127] Maria Cristina Pompa, *Memórias do Fim do Mundo: Para uma Leitura do Movimento Sócio-religioso de Pau de Colher*. Campinas, Unicamp, 1995, p. 159. (Dissertação de Mestrado)

[128] Nas memórias populares sobre o padre Ibiapina e o padre Cícero, o tema do fim próximo do mundo era recorrente (Georgettes Desrochers e Eduardo Hoornaert (orgs.), *Padre Ibiapina e a Igreja dos Pobres*. São Paulo, Paulinas, 1984, p. 135-38; Maria da Conceição Lopes Campina, *Voz do Padre Cícero*. Org. de Eduardo Hoornaert. São Paulo, Paulinas, 1985, p. 23-24, 35-36, 124-26, 154-55, 159, 179, etc.).

[129] Maria Cristina Pompa, op. cit., p. 161.

nência do fim, a cosmovisão da gente de Belo Monte, a esperança de refazer a terra da promissão e livrá-la dos inimigos perdurou até praticamente o término das lutas e a morte. Fora disso, não havia senão esperar o fim, a vingança definitiva dos céus.

Como, a partir dos *Apontamentos*..., um quadro como esse poderia ser avaliado? Parto da constatação, fácil de ser feita, de que nas prédicas não se encontra respaldo imediato a nenhum desses três pontos que acabamos de elencar, nos termos em que eles se apresentam. A partir daí caberia pensar numa divergência de fundo entre o ideário religioso veiculado pelos *Apontamentos*..., pelo Conselheiro, portanto, e aquele que configura a experiência da gente conselheirista? O comentário seguinte, de José de Souza Martins, dá conta da complexidade da questão, porque equivocado em (quase) todos os detalhes:

> Há diferenças muito significativas entre a interpretação da situação [do Belo Monte] pelo próprio Conselheiro e a de seus seguidores. O primeiro fazia uma interpretação política e de classe do processo que estava atingindo o povo. Os segundos elaboravam uma esperança escatológica, certamente alimentada e justificada pelo próprio Conselheiro.[130]

Os dados até aqui recolhidos não permitem qualificar o discurso (e a análise) do Conselheiro como fundamentalmente "política e de classe", embora essas dimensões não estivessem ausentes de seu pensamento. Por outro lado, dando crédito quase irrestrito a Euclides, Martins atribui centralidade a um aspecto da cosmovisão sertaneja que, acabamos de ver, terá ocupado papel decisivo principalmente no contexto da guerra.

Mas no fundamental o autor acerta, ao notar a importância de caracterizar-se a diferença entre a percepção do Conselheiro e a da gente

---

[130] José de Souza Martins, *Os Camponeses e a Política no Brasil*. 2. ed. Petrópolis, Vozes, 1983, p. 53. Por esperança escatológica, Martins entende particularmente a espera pelo fim imediato do mundo e o retorno de D. Sebastião.

sertaneja a respeito de sua experiência histórica. Efetivamente, o que deriva dos *Apontamentos*... e o que avulta das tradições da gente que com ele viveu em Belo Monte assumem registros particularmente distintos, e permitem evidenciar uma significativa diversidade de perspectivas a animar líder e liderados em Belo Monte. Mas de que forma elas terão se associado na viabilização do arraial?

A meu ver, o fulcro da articulação entre a visão de mundo derivada dos *Apontamentos*... e aquela da gente que o seguia se embasa na ocupação da vida presente, entendida não como algo a ser negado, mas como momento decisivo que prepara a eternidade, dentro do qual têm lugar os tão queridos santos, atentos às mais diversas demandas emanadas do cotidiano. Pode-se notar essa conjugação de percepções considerando as formas de que se revestiram as apropriações da história bíblica do êxodo, bem como suas implicações. Se o Belo Monte materializava para seus habitantes a terra da promissão, sendo sua roupagem explicitamente política e utópica, na abordagem que nos *Apontamentos*... se propõe à narrativa bíblica do êxodo o resultado é muito menos espetacular: a já comentada "Sequência Bíblica" (que vai desde o chamamento de Moisés até a posse da terra prometida e a liderança dos juízes) aparece fundamentalmente como prefiguração das inúmeras realidades teologais e eclesiais que todos são convidados a compreender e assimilar.

Mas a articulação dessas duas visões acaba por romper a dicotomia entre expectativas escatológicas e compromissos no campo histórico, tão própria de uma mentalidade religiosa secularmente enraizada: a comunidade "viabiliza, desta forma, um novo modo de vida, este sim, concreto e real que, em si, é uma prefiguração da vida futura".[131] Por essa convergência se entende como os *Apontamentos*..., ao respirarem os ares esperançosos do Belo Monte, efetivamente representam um afastamento perante suas fontes literárias, o livro de Nuno Marques Pereira e a *Missão Abreviada*: percebe-se claramente

---

[131] Josildeth Gomes Consorte, "A Mentalidade Messiânica". *Ciências da Religião*, São Bernardo do Campo, n. 1, p. 47 , 1983.

a resistência do beato à interiorização e privatização da vida religiosa que a *Missão Abreviada* tematiza [...]. O fato de ele estar profundamente enraizado no catolicismo popular autêntico o preservou de uma espiritualidade intimista e desencarnada [...]. A teologia do Conselheiro mantém o caráter popular enquanto preserva a visão popular integrativa na qual não param céu e mundo, corpo e alma, espiritual e temporal, individual e comunitário.[132]

Essa postura "integrativa" terá feito toda a diferença; doutra forma o próprio Belo Monte não se viabilizaria a partir do pensamento (tornado ação) de Antonio Maciel e de sua gente. Os contemporâneos não deixaram de perceber o que aqui se constata: os *Apontamentos...* convocam para a responsabilidade histórica, para a construção da comunidade, para a solidariedade efetiva, para orientar decisões particulares, vislumbrar horizontes inusitados e ensinar o caminho da salvação. Esse compromisso comum se manifesta na convergência entre a proclamação escatológica do Conselheiro e as apostas de seus liderados, como se depreende do famoso interrogatório, presenciado por Euclides da Cunha, a que foi submetido o "jaguncinho" de catorze anos, Agostinho, morador do arraial tornado prisioneiro em meio aos últimos combates. Depois de uma saraivada de perguntas sobre os mais variados aspectos do arraial e suas lideranças mais destacadas,

> terminamos o longo interrogatório inquirindo acerca dos milagres do Conselheiro. Não os conhece, não os viu nunca, nunca ouviu dizer que ele fazia milagres. E ao replicar um dos circunstantes que aquele declarava que o *jagunço* morto em combate ressuscitaria – negou ainda. – Mas o que promete afinal ele aos que morrem? A resposta foi absolutamente inesperada: – Salvar a alma.[133]

---

[132] Alexandre Otten, op. cit., p. 286-87 (referido ao caderno de 1897).
[133] Euclides da Cunha, op. cit., p. 110-11.

Verifica-se, portanto, que frei João Evangelista tinha motivos de sobra para se ver desolado: efetivamente, a gente conselheirista, se não dispensa os padres, deles não carece decisivamente para alcançar a salvação. E, particularmente nesse momento dramático, a morte de que Agostinho fala é aquela em defesa do arraial erguido para viabilizar essa salvação...

Tratei de verificar, até aqui, algumas possibilidades de lançar um olhar diferenciado sobre o Belo Monte de Antonio Conselheiro a partir de algumas páginas que se leem nos *Apontamentos...* Haveria muito mais a ser dito, mas o que foi exposto é suficiente para se depreender a importância do teor desse caderno para a historiografia do Belo Monte enquanto empreendimento que teve a religião como fulcro decisivo. O perfil do arraial resulta modificado, frente ao que convencionalmente se diz.

Mas existe um outro campo de possibilidades, para o qual quero apenas apontar: aquele que coloca em conexão os *Apontamentos...* e o outro caderno que aparece subscrito pelo "Peregrino Antonio Vicente Mendes Maciel": as *Tempestades...* A isso consagro o item seguinte.

3. DOS *APONTAMENTOS...* ÀS *TEMPESTADES...*: DE 1895 A 1897

Os dois escritos que levam o nome de Antonio Conselheiro têm nas respectivas folhas de rosto datas que acabam por distanciá-los em pouco mais de um ano e meio (24 de maio de 1895 e 12 de janeiro de 1897) quanto a sua confecção. Ponto de partida necessário para essa abordagem é a constatação de que boa parte dos conteúdos lidos nos *Apontamentos...* reaparece em *Tempestades...*, o que poderá ser facilmente verificado pelo quadro que apresento a seguir, com os títulos das prédicas de um e outro caderno:[134]

---

[134] Algumas observações sobre o quadro que se lerá: a seção "Textos", do caderno de 1895, que efetivamente aparece após a prédica n. 36, corresponde (veremos adiante de que forma) à seção "Textos Extraídos da Sagrada Escritura" do caderno de 1897. E o título da prédica 47 das *Tempestades...* foi dado pelo responsável pela publicação do caderno, Ataliba Nogueira.

Apontamentos...	*Tempestades...*
1-10: Prédicas sobre os Dez Mandamentos [Textos]	1: Tempestades que se Levantam no Coração de Maria por Ocasião do Mistério da Anunciação
11: Sobre a Cruz	
12: Sobre a Paixão de Nosso Senhor Jesus Cristo	2: Sentimento de Maria por Causa da Pobreza em que se Achava, por Ocasião do Nascimento de seu Divino Filho.
13: Sobre a Missa	
14: Sobre a Justiça de Deus	3: Dor de Maria na Circuncisão de seu Filho.
15: Sobre a Fé	
16: Sobre a Paciência nos Trabalhos	4: Humilhação de Maria no Mistério da Apresentação.
17: Sobre a Religião	
18: Sobre a Confissão	5: Dor de Maria na Profecia de Simeão.
19: Sobre a Obediência	6: Dor de Maria por Ocasião de sua Fuga para o Egito.
20: Sobre o Fim do Homem	
21: Como Adão e Eva Foram Feitos por Deus: o que lhes Sucedeu no Paraíso até que Foram Desterrados Dele por Causa do Pecado	7: Dor de Maria na Morte dos Inocentes.
	8: Desolação de Maria durante o seu Desterro no Egito.
	9: Aflição de Maria na sua Volta do Egito.
22: O Profeta Jonas	10: Dor de Maria na Perda de seu Filho no Templo.
23: Paciência de Jó	
24: Vocação de Moisés	11: Sentimento de Maria na Morte de seus Pais.
25: As Dez Pragas do Egito	
26: Morte dos Primogênitos, Cordeiro Pascoal, Saída do Egito	12: Dor de Maria durante a Vida Particular de Jesus em Nazaré.
27: Passagem do Mar Vermelho	13: Sentimento de Maria quando seu Filho se Retirou para o Deserto.
28: Codornizes, Maná e a Água no Deserto	
29: Os Dez Mandamentos, Aliança de Deus com Israel	14: Dor de Maria por Causa das Injúrias Proferidas contra seu Filho.
30: O Bezerro de Ouro	15: Dor de Maria por Ocasião da Permissão que Jesus lhe Pediu para Suportar a Morte.
31: Leis do Culto Divino	
32: Derradeira Admoestação de Moisés, sua Morte	
	16: Dor de Maria na Prisão de seu Filho.
33: Os Juízes	17: Dor de Maria na Flagelação de seu Filho.
34: Construção e Edificação do Templo de Salomão	18: Dor de Maria quando seu Filho Foi Apresentado por Pilatos ao Povo.

35: O Dilúvio 36: Reflexões Textos 37: O Pecado de Todos os Homens	19: Dor de Maria Encontrando seu Filho com a Cruz aos Ombros. 20: Dor de Maria na Agonia de Jesus. 21: Dor de Maria quando os Soldados Repartiram entre si os Vestidos de seu Filho. 22: Compaixão de Maria na Sede de seu Filho Pregado na Cruz. 23: Dor de Maria na Agonia de Jesus. 24: Dor de Maria quando seu Filho lhe Falou da Cruz. 25: Martírio de Maria na Morte de seu Filho. 26: Dor de Maria quando o Lado de seu Filho Foi Aberto com uma Lança. 27: Dor de Maria no Descimento da Cruz e Funeral do Cadáver de seu Filho. 28: Dor da Senhora em sua Soledade. 29: Maria, Rainha dos Mártires. 30-39: Prédicas sobre os Dez Mandamentos Textos Extraídos da Sagrada Escritura 40: Sobre a Cruz 41: Sobre a Missa 42: Sobre a Confissão 43: Sobre as Maravilhas de Jesus 44: Construção e Edificação do Templo de Salomão [Textos Extraídos da Sagrada Escritura] 45: Sobre o Recebimento da Chave da Igreja de Santo Antônio, Padroeiro do Belo Monte 46: Sobre a Parábola do Semeador 47: Sobre a República – A Companhia de Jesus – O Casamento Civil – A Família Imperial – A Libertação dos Escravos 48: Despedida

Além dos textos que aparecem num e noutro caderno, se nota que a "Sequência Bíblica" presente nos *Apontamentos*... não reaparece em *Tempestades* (exceto a prédica sobre a construção do Templo de Salomão). Por outro lado, um conjunto importante de prédicas será encontrado apenas no caderno de 1897: aí se destaca a série de reflexões dedicada às dores de Maria, à mãe de Jesus (e, sem dúvida, o título do caderno justifica-se explicitamente por conta dessas prédicas que o abrem e compõem um terço de seu conteúdo total), à prédica referida à consagração da Igreja de Santo Antônio, aquela sobre a República, e ainda a "Despedida".

Um olhar que avance para além dos títulos, porém, notará ainda outros nexos sugestivos. A seção "Textos" (dos *Apontamentos*...) e a seção "Textos Extraídos da Sagrada Escritura" (das *Tempestades*...) têm evidente ligação quanto a seu conteúdo, e terei de voltar a isso mais adiante. A prédica "Sobre a Confissão" é um pouco mais curta nas *Tempestades*..., faltando aí as duas frases finais encontradas nos *Apontamentos*... Como justificar tais aproximações e distanciamentos? Não pretendo, aqui, proceder a uma análise do todo das *Tempestades*..., mas verificar como a partir desse caderno podem ser lançadas ainda outras luzes para a compreensão dos *Apontamentos*...

3.1. Afinidades e Continuidades

Não trato aqui da questão referente às razões circunstanciais que fizeram determinados conteúdos dos *Apontamentos*... serem reproduzidos nas *Tempestades*..., até porque faltam dados mais precisos sobre as circunstâncias da escrita desses dois cadernos e da eventual circulação/utilização deles. Apenas constato tais repetições, e reconheço a relevância desses conteúdos reiterados. A centralidade e a ressonância, na vida do arraial, dos ensinamentos oriundos do Decálogo fazem compreender porque as prédicas a seu respeito são reproduzidas num e noutro caderno. O mesmo se diga das prédicas sobre a missa e sobre a confissão. E a permanência da cruz no centro da praça, até que ela venha a ser deslocada para o cemitério dos soldados na guerra, poderia ter sua contraparte literária na reprodução, em ambos os cadernos, da eloquente prédica

"Sobre a Cruz", que bebe intensamente do *Compêndio* de Nuno Marques e reescreve alguns de seus conteúdos, ampliando-os em perspectivas novas.

Por outro lado, que apareça nas *Tempestades*, e não nos *Apontamentos*..., a prédica "Sobre o Recebimento da Chave da Igreja de Santo Antônio, Padroeiro do Belo Monte", explica-se pelas circunstâncias da elaboração de um e outro caderno: a "consagração" da referida igreja terá ocorrido em 1896 (e não em 1893, como em geral se pensa), de sorte que o que se registra nas *Tempestades*... terá sido o teor básico da prédica pronunciada nesse dia tão especial na vila conselheirista, meses depois da escrita do primeiro dos cadernos. Mas o que se lê nessa prédica se situa em continuidade clara com o que encontramos nos *Apontamentos*...:

> Foi o Bom Jesus (nutro a mais íntima satisfação de declarar-vos) que tocou e moveu os corações dos fiéis para me prestarem as suas esmolas e os seus braços a fim de levar a efeito a obra de seu servo. [...] eles devem ficar plenamente satisfeitos por terem concorrido para a construção da Igreja do servo do Senhor, [...] testemunho que demonstra o zelo religioso que tanto os caracteriza (TLCM, p. 539-40 / p. 181).

A referida prédica aparece justamente após aquela que versa sobre a construção do templo por Salomão, que consta dos dois cadernos. O que resulta daí parece claro: em 1895 é preciso convencer da relevância do empreendimento e animar ao trabalho; em 1896 pode-se celebrar a consagração da igreja recordando-se da grandiosa cerimônia ocorrida quando da finalização dos trabalhos em Jerusalém.

Fico por aqui na consideração das convergências e continuidades imediatas que se depreendem da comparação entre os dois cadernos: certamente estão aí valores, referências e conselhos fundamentais que terão orientado a trajetória de Belo Monte, na paz (relativa) e na guerra.

3.2. A Guerra e as Tempestades

Mas a comparação entre os *Apontamentos*... e as *Tempestades*... permite conferir uma densidade ainda maior, e mais dramática, a algumas das seções deste último caderno, cuja importância já tinha sido notada por estudiosos como Duglas Teixeira Monteiro e Alexandre Otten, mesmo sem terem tido contato com o caderno anterior. Assim, as observações seguintes vêm basicamente reforçar aquelas já propostas por esses notáveis desbravadores das prédicas contidas no caderno de 1897.

Considero rapidamente quatro desses momentos de *Tempestades*..., a começar pela longa seção que, da mesma forma que o caderno no seu todo, leva o título "Tempestades que se Levantam no Coração de Maria por Ocasião do Mistério da Anunciação". Surpreende encontrar essa quantidade de temas associados às dores de Maria, caso se considere que, na tradição católica popular, identificam-se sete dessas dores (aliás, surpreende a própria aparição de Maria, cuja figura, em seus sofrimentos, há de ser contemplada num processo reflexivo metódico). Que essas tempestades todas venham a ser registradas aqui, abrindo o caderno que tem a data de 12 de janeiro de 1897, não deixa de ser sugestivo: a guerra contra o arraial já começou, a primeira expedição foi repelida e já se aproximam as centenas de soldados da expedição seguinte, que em uma semana iniciarão seus ataques:

> Principalmente nas meditações sobre o tema marial e, em específico, sobre os sofrimentos de Maria junto à Cruz, sente-se um clima tenso e angustiante, o que permite conjecturar sobre uma possível aproximação inconsciente entre a Paixão exemplar de Cristo e uma iminente paixão de Canudos. Belo Monte, nas vésperas de sua destruição, poderia ter se transformado então, para seu líder, e para os que a defendiam, num lugar que, pelo caminho da miséria e sofrimento extremos, encontrava uma posição única dentro de uma visão escatológica.[135]

E ainda: a conjectura sugeriria contemplar a mãe de Jesus como modelo exemplar de enfrentamento das dores e provações que a acometem durante sua existência, desde quando comunicada sobre a gravidez até o momento em

---
[135] Duglas Teixeira Monteiro, op. cit., p. 70.

CAPÍTULO III | RECONSTRUÇÃO SOBRE VESTÍGIOS: MONUMENTO

que vê seu Filho pendente da cruz. As prédicas são vívidas, pretendendo impressionar e alcançar a disposição de enfrentar o sofrimento, particularmente aquele pavoroso que se aproxima, com os olhos fitos em Jesus e sua mãe:

> Acompanhando em espírito a Santíssima Virgem fazendo parte deste tristíssimo funeral [o do seu Filho Jesus, descido da cruz], tomando lição das mágoas da Senhora, eu não deixo de a nós mesmos prever um futuro infausto pelo que diz respeito à nossa salvação, se não tomarmos parte nesta infinidade de suspiros e nesta abundância de lágrimas (TLCM, p. 207-08 / p. 109).

Passo agora a considerar, nas *Tempestades...*, a seção "Textos Extraídos da Sagrada Escritura" (TLCM, p. 427-85 / p. 157-67). Com a habitual perspicácia, Otten identificou nessas páginas duas partes básicas, uma centrada na reprodução de versículos bíblicos, com um ou outro comentário (e que reproduz o que se lê em "Textos", dos *Apontamentos...*), e outra "inédita", que, embora continue a transcrever mais versículos da Bíblia, adota "um caráter discursivo apologético".[136] Efetivamente, os próprios textos da Bíblia que agora são recuperados parecem dirigir-se a legitimar a pregação mesma do Conselheiro, num contexto em que não é difícil imaginar que tenham surgido contestações a sua liderança e atividade. Encontra-se um elogio à morte no Senhor, apelando-se a Apocalipse 14,13: algum vínculo com o teor do depoimento do jaguncinho diante de Euclides? Não é difícil perceber a atmosfera sombria que essa nova etapa da coletânea respira. Os inimigos, que na Bíblia aparecem identificados nos judeus, estão em plena ação, e é preciso fiar-se apenas em Deus, que "é a suma verdade e nunca falta no que prometeu, nem há de faltar" (TLCM, p. 477 / p. 165). Exemplos como o de Tomás Morus, que "sacrificou a vida pela defesa da religião católica" (TLCM, p. 480 / p. 166), são inspiradores.

Vamos adiante. Uma prédica "Sobre a Parábola do Semeador" apresenta uma curiosa associação, até certo ponto livre, entre Marcos 4,1-20 (parábola

---

[136] Alexandre Otten, op. cit., p. 221.

do semeador e sua explicação), 4,21-25 (sobre a luz e a verdade) e Lucas 14,12-14 (sobre convidar os pobres e doentes, não os ricos e amigos, para uma refeição que eventualmente se ofereça; ação assim surpreendente é apresentada em vista da salvação: quem o fizer terá sua retribuição "na ressurreição dos justos").[137] Combinam-se, portanto, três passagens (duas delas já estão ligadas no próprio texto bíblico), num resultado significativo, tanto para iluminar o dado de que, efetivamente, a experiência sociorreligiosa vivida em Belo Monte, encarnação da Palavra de Deus semeada, é objeto de controvérsia e rejeição, como para que se perceba a faceta fundamental do comportamento do Conselheiro em relação a seu séquito, especialmente à gente despossuída que foi viver no arraial: ele "acolhe em sua companhia sobretudo os mais miseráveis, que, segundo o Evangelho, não têm como retribuir: Canudos torna-se refúgio dos pobres, aleijados, coxos e cegos".[138] A ceia proporcionada aos pobres do Belo Monte começa na organização do arraial e de seu caixa comum, pensada em função exatamente das carências dessa gente impossibilitada para o trabalho. Considere-se ainda que, com o início da guerra, o afluxo de pessoas ao arraial apenas fez aumentar, o que obrigou, em tempos de crescente penúria e carestia, organizar a ceia dos pobres cada vez mais numerosos...

Avanço. Pode-se tomar a prédica sobre a República, certamente a mais famosa de todas as que se encontram nos dois cadernos, como desdobramento prático, historicamente situado, da prédica "Sobre a Obediência" lida nos *Apontamentos*..., e ao mesmo tempo a resposta, depois de um ano e meio, às contestações de frei João Evangelista quanto à insubordinação do Conselheiro, materializada no empreendimento Belo Monte. Dela destaco apenas

---

[137] O texto bíblico reza: "Quando deres algum jantar, ou alguma ceia, não chames nem teus amigos nem teus irmãos, nem teus parentes, nem teus vizinhos, que forem ricos: para que não aconteça que também eles te convidem à sua vez e te paguem com isso; mas, quando deres algum banquete, convida os pobres, os aleijados, os coxos e os cegos: e serás bem-aventurado, porque esses não têm com que te retribuir: mas ser-te-á isso retribuído na ressurreição dos justos" (TLCM, p. 558-59 / p. 185).

[138] Alexandre Otten, op. cit., p. 228.

alguns aspectos,[139] a começar por aquela passagem em que o Conselheiro parece responder a si mesmo e ao sacrossanto texto bíblico, aos missionários e ao seu séquito, a respeito do impasse que terá carregado durante tanto tempo; tamanha tensão, agora reforçada pelas investidas militares, ressoa nessa página lúcida e categórica, que ecoa e desdobra claramente o que antes se lia nos *Apontamentos*...:

> Todo poder legítimo é emanação da Onipotência eterna de Deus e está sujeito a uma regra divina, tanto na ordem temporal como na espiritual, de sorte que, obedecendo ao pontífice, ao príncipe, ao pai, a quem é realmente ministro de Deus para o bem, a Deus só obedecemos [...]. É evidente que a república permanece sobre um princípio falso e dele não se pode tirar consequência legítima [...] (TLCM, p. 566-67 / p. 186).

Nessa passagem se formula o que foi o pensamento cristão por tantos séculos. Nada se está inventando, mas se demarca o modo de ver aqui expresso, perfeitamente católico, frente àquele expresso por frei João Evangelista em maio de 1895. A seu modo, a prédica trata de "desabsolutizar" a afirmação categórica do missionário: "os poderes constituídos regem os povos, em nome de Deus". Ao indicar que apenas o poder legítimo emana de Deus, o Conselheiro desautoriza o tom indiscutível dos dizeres de frei João, e recoloca o problema num nível mais delicado: o da legitimidade. Na verdade, o tema já aparecera antes, numa invectiva direta ao presidente da República: ele, "movido pela incredulidade que tem atraído sobre ele toda sorte de ilusões, entende que pode governar o Brasil como se fora um monarca legitimamente constituído por Deus" (TLCM, p. 564 / p. 186).

Além disso, os termos da prédica deixam no ar a mais que instigante suspeita de que a República só foi proclamada por vingança ao fato de a princesa

---

[139] Sobre essa prédica, pode-se ler: ibidem, p. 229-31; Vicente Dobroruka, op. cit., p. 168-74 (certamente a análise mais completa). Retomo aqui, de forma resumida, o que expus em meu *O Belo Monte de Antonio Conselheiro*..., p. 287-89.

Isabel ter abolido a escravidão. A passagem seguinte parece ser um desafio aos padres republicanos, mestres no falar, que acabam por confessar seus verdadeiros objetivos ao fazerem a oportunista aliança com o novo regime que a missão capuchinha de 1895 deixava tão clara. Obviamente a Igreja Católica está em perigo:

> O sossego de um povo consiste em fazer a vontade de Deus, e para obter-se a sua glória é indispensável que se faça a sua divina vontade. Corrobora-se melhor esta verdade pelo que diz Nosso Senhor Jesus Cristo (Mat., cap.7, v.21). Nem todo o que me diz: Senhor, Senhor, entrará no reino dos céus; mas sim o que faz a vontade de meu pai que está nos céus; esse entrará no reino dos céus [...]. É necessário que se sustente a fé da sua [de Deus] Igreja. É necessário, enfim, que se faça a sua divina vontade, combatendo o demônio que quer acabar com a fé da Igreja (TLCM, p. 569-602).[140]

Daí que a gente do Belo Monte é convocada para o combate, não apenas contra os soldados das expedições sucessivas, mas contra o demônio e seus agentes, que querem destruir a Igreja. O exemplo mais evidente de que há uma conspiração contra a Igreja Católica no Brasil é a implantação do casamento civil; com efeito, é a esse tema que a prédica dedica particular atenção:

> O casamento civil ocasiona a nulidade do casamento, conforme manda a santa madre Igreja de Roma [...]. Quando Deus autorizou com a sua presença o primeiro estado que houve de casado no mundo, foi para nos mostrar as grandes excelências e perfeição que nele se encerram e as obrigações que os casados têm de viver conforme os preceitos divinos, unindo-se ambos numa só vontade [...]. Porque é o casamento (como todos sabem) um contrato de duas vontades ligadas com o amor que Deus lhes comunica, justificados com a graça que lhes deu Nosso Senhor Jesus Cristo e autorizada com a cerimônia que lhes juntou a santa madre Igreja, que este é o efeito de um verdadeiro desposório: unir duas almas em um corpo; porém

---

[140] Por algum engano, na paginação do caderno, se passa da p. 569 à 600.

importam obrigações dos preceitos divinos, que devem guardar em primeiro lugar e muito à risca: todos os casados têm obrigação de viver perfeitamente no seu estado, sem embargo de qualquer encargo ou desgosto. Em razão dos respeitos humanos, são necessárias muitas circunstâncias para se guardar este perfeito estado, tanto para segurança da honra e descaso da vida. Estas verdades demonstram que o casamento é puramente da competência da santa Igreja, que só seus ministros têm poder para celebrá-lo; não pode, portanto, o poder temporal de forma alguma intervir neste casamento, cujo matrimônio na lei da graça Nosso Senhor Jesus Cristo o elevou à dignidade de sacramento, figurando nele a sua união com a santa Igreja, como diz São Paulo. Assim, pois, é prudente e justo que os pais de família não obedeçam à lei do casamento civil, evitando a gravíssima ofensa em matéria religiosa que toca diretamente a consciência e a alma (TLCM, p. 602-08 / p. 187-89).

O casamento civil soa, portanto, como uma ingerência inaceitável do poder secular sobre realidades de ordem espiritual, ocasionando "o pecado do escândalo", diante do qual Deus não fará uso de sua misericórdia (TLCM, p. 610 / p. 192).[141] O Conselheiro está de todo convencido de que o regime que assim age não perdurará:

A república há de cair por terra para confusão daquele que concebeu tão horrorosa ideia. Convençam-se, republicanos, de que não hão de triunfar porque a sua causa é filha da incredulidade, que a cada momento, a cada passo, está sujeita a sofrer o castigo de tão horroroso procedimento (TLCM, p. 615-16 / p. 193).

---

[141] O periódico da arquidiocese baiana qualificava o casamento civil como "torpe mancebia", "adultério legal", "prostituição autorizada", "vergonhoso concubinato" (Hugo Fragoso, "Canudos, um Desencontro entre Duas Igrejas". Mimeo, p. 9). Conclui o autor: "Como seria difícil para o Conselheiro e seus seguidores [...] compreender a linguagem do missionário Frei João Evangelista, intimando-os a aceitar este governo republicano"! (p. 10).

Não pode ser diferente: a destruição de Jerusalém é uma prova do que ocorre aos inimigos de Deus e da religião (TLCM, p. 616-17 / p. 193).

Assim, nessa prédica que desenvolve perspectivas maduras já nos *Apontamentos*..., vê-se como o peregrino que a subscreve se apresenta como o último defensor dos valores e das convicções que a hierarquia católica buscou incutir em seus fiéis durante tanto tempo, e que em poucos anos descartou, em nome de uma composição sempre mais estreita com o novo regime. Embora esse elemento não explique, sozinho, o surgimento do arraial[142] e mesmo a guerra, ele é indispensável para a compreensão dos dramáticos conflitos que o originaram e o levaram à brutal eliminação. Esse embate particular, contra o novo regime e contra os padres que se aliaram ao demônio, é um fulcro decisivo em torno do qual se definiram os contornos da guerra, simbólica e armada.

Assim, avaliando os *Apontamentos*... a partir da perspectiva geral do conjunto das *Tempestades*..., pode-se identificar neles uma testemunha preciosa da visão do Conselheiro, já em Belo Monte, sem sofrer ainda os horrores da guerra, em meio às frenéticas atividades de sua gente, mas antevendo, pelas pressões que já se faziam notar, um futuro ameaçador e mesmo sombrio, que as *Tempestades*... refletem claramente, perante a qual a tarefa de preparar-se para alcançar a salvação se impõe de maneira ainda mais incisiva. E as motivações do responsável pelos *Apontamentos*... e pelas *Tempestades* se mostrarão, neste último caderno, ainda mais intensas e dramáticas, em particular nesta página antológica, que o encerra:

> Antes de fazer-vos a minha despedida, peço-vos perdão se nos conselhos vos tenho ofendido. Conquanto em algumas ocasiões proferisse palavras excessivamente rígidas, combatendo a maldita república, repreendendo os vícios e movendo o coração ao santo temor e amor de Deus, todavia não concebam que eu nutrisse o mínimo desejo de macular a vossa reputação.

---

[142] "Com ou sem regime republicano, o abandono dos sertanejos teria gerado Canudos" (Ricardo Salles, *Nostalgia Imperial: A Formação da Identidade Nacional do Brasil do Segundo Reinado*. Rio de Janeiro, Topbooks, 1996, p. 196).

CAPÍTULO III | RECONSTRUÇÃO SOBRE VESTÍGIOS: MONUMENTO

Sim, o desejo que tenho da vossa salvação (que fala mais alto quanto eu pudesse aqui deduzir) me forçou a proceder daquela maneira. [...] É chegado o momento para me despedir de vós; que pena, que sentimento tão vivo ocasiona esta despedida em minha alma, à vista do modo benévolo, generoso e caridoso com que me tendes tratado, penhorando-me assim, bastantemente! São estes os testemunhos que me fazem compreender quanto domina em vossos corações tão belo sentimento. Adeus povo, adeus aves, adeus árvores, adeus campos, aceitai a minha despedida, que bem demonstra as gratas recordações que levo de vós, que jamais se apagarão da lembrança deste peregrino, que aspira ansiosamente a vossa salvação e o bem da Igreja (TLCM, p. 625-28 / p. 197).

As *Tempestades...* se fecham da mesma forma como se abriram os *Apontamentos...*: ambos os cadernos foram elaborados em vistas a um propósito fundamental; mais, acabam por sintetizar pelo escrito a atuação do Peregrino, que dedicou os últimos anos de sua vida, especialmente os quatro vividos no arraial, comprometido com a "salvação dos homens". Salvação derivada necessariamente da vida bem vivida; bem que resulta da fidelidade da Igreja a sua doutrina, e não de adesões oportunistas. Por esses ideais, plenamente manifestados já nos *Apontamentos...*, Belo Monte surgiu, e foi dizimado após curta existência.

As considerações acima expostas amparam suficientemente a percepção do caráter indispensável e insubstituível que o trabalho *Apontamentos dos Preceitos da Divina Lei de Nosso Senhor Jesus Cristo, para a Salvação dos Homens* joga no entendimento dos sentidos mais densos que a experiência vivida às margens do Vaza-barris proporcionou à gente que apostou suas vidas na acolhida das palavras e dos conselhos do peregrino de Quixeramobim. A história do arraial fica definitivamente iluminada em nova perspectiva, principalmente caso se considere o lugar que os *Apontamentos...* ocupam ao longo da trajetória e no bojo da percepção que o próprio Conselheiro desenvolveu sobre o vilarejo. Esse lugar fica destacado quando se estabelecem as conexões entre o caderno de 1895 e o de 1897 e se verificam as convergências e os diferenciais, o que permite inserir adequadamente cada um deles na complexa trama que, ao fim, desembocou na brutal tragédia que conhecemos. Tragédia que se percebe de cores ainda mais pesadas à medida que tomamos ciência das possibilidades representadas pelo arraial conselheirista, à luz do ideário de seu líder inconteste, e se superam estereótipos equivocados e inconsistentes a esse respeito. O que resulta de considerar o Belo Monte como um empreendimento concebido, nas circunstâncias, tempos e espaços que a sua conturbada história possibilitou, como um lugar em que os "preceitos da divina lei" deveriam dar a tônica da vida, no amplíssimo horizonte da salvação tão desejada?

CONCLUSÃO

$\mathcal{A}$o término desta primeira peregrinação sobre os *Apontamentos*... firmados por Antonio Vicente Mendes Maciel, sugiro uma breve avaliação retrospectiva e indico algumas possibilidades que se abrem.

1. ABRINDO, NO SERTÃO, AS PORTAS DO CÉU

Foi possível alcançar, ao menos em linhas gerais, uma adequação basilar entre o que é proposto nos *Apontamentos*... e as circunstâncias particulares que ofereceram ao Belo Monte seu perfil diferenciado. O acento nos mandamentos da lei divina não foi irrefletido; pelo contrário, propiciou os fundamentos da configuração do que vimos Honório Vilanova qualificar como "regra ensinada pelo peregrino". A insistência no pecado e na ação do demônio traduz uma consciência acentuada quanto à presença do mal e do limite na vida humana. Sem que isso transforme o responsável pelos *Apontamentos*... num pessimista inveterado e mórbido, proponente da penitência obsessiva. Pelo contrário: num cenário definido, em termos religiosos, pela culpabilização e pelas ameaças das penas infernais, a insistência manifesta das prédicas na graça de Deus e as invenções deste para conquistar o amor dos humanos não podem deixar de surpreender. E mais que isso: tal elemento deve ser considerado como o diferencial básico entre os *Apontamentos*... e uma de suas fontes literárias principais, e resulta ao mesmo tempo do manuseio cuidadoso da Bíblia por parte do responsável por tais prédicas e de seu convívio cotidiano com a gente que o seguia. É justamente o Belo Monte que proporciona ao Conselheiro a possibilidade de reelaborar dados básicos, constitutivos do universo religioso que deu norte a sua existência.

Assim, a consciência do limite, evidente no conjunto das meditações/prédicas que formam os *Apontamentos*..., não resultou num descaso para com a mesma vida cheia de precariedades; pelo contrário, estimulou a que estas fossem enfrentadas coletivamente; mais ainda: que as formas do viver, organizadoras dos trabalhos e dos dias, recuperassem a densidade escatológica que a pregação católica convencional da época de alguma forma lhes havia retirado. Daí que o Belo Monte deva ser insistentemente assumido como contexto insubstituível da elaboração do manuscrito, e ao mesmo tempo que seja indispensável tomar os conteúdos que levam o nome do Conselheiro como decisivos no empenho por definir os contornos da experiência histórica e religiosa do arraial por ele liderado.

Com isso se conclui que as questões eventualmente levantadas contra a autenticidade das prédicas atribuídas ao Conselheiro, por conta das citações abundantes de teólogos católicos, do tom (supostamente) clerical de seu conteúdo e da (mais uma vez suposta) inexistência de referências ao cotidiano do arraial, parecem mais oriundas da dificuldade de compreender a dinâmica do discurso religioso e seu enraizamento no conjunto da vida no arraial do que outra coisa. Parece haver uma dificuldade crônica em reconhecer a incidência e o potencial de rebeldia, no plano da vida social e cotidiana, das convicções e formulações aparentemente "só espirituais". O teor das meditações é tecido de uma matéria plástica decerto exigente à maior parte dos leitores, e só à primeira vista soa genérico e vago. Mas é preciso lê-las...

CONCLUSÃO

2. DESAFIOS

Já em relação a possibilidades e desafios vislumbrados a partir da recuperação e de uma primeira leitura dos *Apontamentos...*, eles parecem ser muitos; na impossibilidade de aqui avançar mais, considerarei brevemente três desses desdobramentos, que espero sejam suficientemente ilustrativos.

2.1. O Edifício Euclidiano

No que diz respeito aos estudos sobre o Belo Monte, cabe continuar enfrentando o desafio de desmontagem do edifício euclidiano a esse respeito, resultado de uma série de equívocos a definir o olhar do jornalista escritor. A leitura dos *Apontamentos...* só reforça o que já vem sendo percebido faz tempo: com o arsenal de que dispunha o escritor não logrou aceder à chave de solução dos enigmas colocados por Belo Monte, seu líder e a gente anônima que fez sua história. E a teimosia em não folhear essas páginas, bem como as das *Tempestades...*, mantém na mesma impossibilidade interpretativa inclusive os críticos daquilo que a obra euclidiana fez com o Belo Monte. Efetivamente, o que vale de forma geral, vale também no que diz respeito ao teor das meditações/prédicas do Conselheiro. Segundo Euclides, "de todas as páginas de catecismo que [Antonio Conselheiro] soletrara ficara-lhe preceito único: *Bem-aventurados os que sofrem* [...]".[1] Fixo-me nesse tópico da questão euclidiana.

Recorde-se uma vez mais a avaliação prévia, conferindo ao Conselheiro a possibilidade de apenas soletrar o catecismo. Ele não teria tido condições senão de abeirar-se "do catolicismo incompreendido"; por outro lado, "todas as crenças ingênuas, do fetichismo bárbaro às aberrações católicas, todas as tendências impulsivas das raças inferiores, livremente exercitadas na indisciplina da vida sertaneja, se condensaram no seu misticismo feroz e extravagante".[2]

---

[1] Euclides da Cunha, *Os Sertões: Campanha de Canudos.* São Paulo, Ateliê / Imprensa Oficial do Estado / Arquivo do Estado, 2001, p. 279-300.
[2] Ibidem, p. 252.

Não se poderia esperar daí senão os pobres papéis já mencionados... Nem é necessário, a essa altura, fazer apologia à formação letrada do Conselheiro, até porque a desqualificação dele nesse pormenor se inseriu no bojo do projeto maior de Euclides, que exigia inserir o todo do Belo Monte sob o tópico da rude ignorância. Bem mais problemática é a síntese que o escritor propõe para a atividade de pregação do líder do Belo Monte, transformando-o num defensor do sofrimento pelo sofrimento, num masoquista incorrigível e monotemático. E o arraial não poderia ser, a se tomar essa referência, outra coisa senão um espaço privilegiado para a vigência da "psicose coletiva" e para a fuga desesperada do "pecado mortal do bem-estar mais leve [...]".[3]

A esse respeito, cabe considerar que o sofrimento de que tratam as prédicas lidas nos *Apontamentos*... não é um mero tema, mas uma realidade a permear a vida da gente conselheirista, principalmente antes de que para o arraial cada qual se deslocasse. O Belo Monte tratou de ser, na verdade, um local em que os sofrimentos conjunturais pudessem ser equacionados em vistas à salvação. Além disso, da visão religiosa mais ampla refletida nas meditações não resulta qualquer estímulo dolorista, mas ao enfrentamento dela de forma serena e resistente, tendo o próprio Jesus como modelo (não é outro o sentido do apelo a "tomar a cruz"). É preciso não perder de vista o cenário imediato no seio do qual as prédicas do Conselheiro terão adquirido seu primeiro sentido. A conformação com a trajetória de Jesus é fundamentalmente a possibilidade de encarar com olhar diferenciado o sofrimento que no sertão adquire contornos particularmente dramáticos, dar-lhe sentido diferenciado e propor-lhe a superação, ao fim do processo, escatológica. Euclides (e ele não será o único) vê na vivência religiosa propugnada pelo Conselheiro as marcas da passividade e da resignação, acentuadas ainda pela ansiedade incontrolada pelo milênio vindouro; a leitura dos *Apontamentos*... sugere o contrário, e confirma a perspectiva sugerida por Rubem Alves, segundo a qual "o discurso religioso pertence ao campo da ação", e a religião

---
[3] Ibidem, p. 298-99.

é "a aposta do homem, seu ato de fé nas possibilidades que podem ser realizadas através da ação".[4] Belo Monte é resultado da aposta de muitas pessoas com seus atos de fé, e sua sobrevivência teimosa por quatro anos e pouco se deveu à percepção das possibilidades, para aqui e para o além, alimentadas, dia após dia, por conteúdos como os que os *Apontamentos...* registram.

2.2. Contextos complexos

Recupere-se, ainda uma vez, a cena que Euclides da Cunha denomina, seguindo frei João Evangelista, o "'beija' das imagens". Segundo o escritor fluminense, "instituíra-o o Conselheiro, completando no ritual fetichista a transmutação do cristianismo incompreendido".[5] Mas o que nos importa aqui é o momento final da cerimônia, para além da linguagem venenosa e depreciativa que dá a tônica da descrição:

> Apertando ao peito as imagens babujadas de saliva, mulheres alucinadas tombavam escabujando nas contorções violentas da histeria, crianças assustadiças desandavam em choros; e, invadido pela mesma aura de loucura, o grupo varonil dos lutadores, dentre o estrépito, e os tinidos, e o estardalhaço das armas entrebatidas, vibrava no mesmo *ictus* assombroso, em que explodia, desapoderadamente, o misticismo bárbaro [...].
> Mas de repente o tumulto cessava.
> Todos se quedavam ofegantes, olhares presos no extremo da latada junto à porta do santuário, aberta e enquadrando a figura singular de Antonio Conselheiro.
> Este abeirava-se de uma mesa pequena. E pregava [...].[6]

---

[4] Rubem Alves, *O Suspiro dos Oprimidos*. 3. ed. São Paulo, Paulinas, 1992, p. 157-67.
[5] Euclides da Cunha, op. cit., p. 314.
[6] Ibidem, p. 315-16. Para um comentário mais amplo a essa página antológica de Euclides, pode-se ler meu *Missão de Guerra: Capuchinhos no Belo Monte de Antonio Conselheiro*. Maceió, Edufal, 2014, p. 115-121.

Destaco o elemento que conjuga a marca popular da devoção, o beijo nas imagens, e o contributo específico do Conselheiro, a pregação. Daí resulta que o suposto tumulto cesse, em nome da audição reverente das palavras do peregrino. Poder-se-ia, na contramão das intenções do escritor, tomar essa imagem como expressão plástica dos contornos da experiência religiosa vivenciada no Belo Monte. Não só devoção, nem apenas doutrina, mas ambas. Onde elas se terão articulado dessa forma, de sorte que a presença e atenção dos santos, garantida de tantas formas, se some e se veja enriquecida com o ensino dos mandamentos, contra a República, apelando ao cuidado dos pobres e da salvação?

Essa questão apenas esboçada sugere que a experiência do Belo Monte, com seus apontamentos anotados e proclamados, com seus santos venerados, demanda um cuidado ainda maior no estabelecimento das relações entre o que se tem chamado "catolicismo oficial" e "catolicismo popular". Se o Conselheiro aparece inicialmente como um mero reprodutor da doutrina do clero, exatamente por ser ele o enunciador, tudo assume nova configuração, em que têm lugar pleno as manifestações tipicamente populares da devoção. Algo impensável se o expositor da doutrina fosse o frei João Evangelista, por exemplo. E isso não apenas por conta da condição de leigo que o líder do arraial portava...

Por outro lado, o Belo Monte distingue-se de tantos outros cenários do catolicismo brasileiro porque nele tinham espaço para ecoar conteúdos como os registrados nos *Apontamentos*... Não que em outros contextos eles fossem necessariamente recusados; mas ali puderam ser ouvidos; o lugar fora disposto para isso. De toda forma, como qualificar o catolicismo vivenciado pela gente do Belo Monte, pelas missas, batizados, confissões e casamentos do padre Sabino a cada quinze dias, pelas pregações constantes do Conselheiro e pelas rezas intermináveis das mulheres, que nas vigílias costumavam impressionar os passantes, amigos e inimigos?

E nem foram consideradas aqui outras circularidades que terão configurado decisivamente as formas da experiência religiosa no Belo Monte, que fundamentalmente em nada rompeu, a despeito da presença decisiva do Conselheiro, este filho do sertão, com suas prédicas "católicas", com o que se dava pelo interior adentro, aquilo que Euclides da Cunha, numa expressão feliz, caracterizou como "religião mestiça".[7] O que decorre daí é que a presença de um caderno com o teor dos *Apontamentos...* só vem mostrar um quadro mais complexo, cuja compreensão demanda acuidade analítica e sensibilidade para com o diferente.

2.3. Para a Compreensão das Religiões

A última das considerações sobre os desafios e as possibilidades que emergem do estudo sobre os *Apontamentos...* se inspira no alerta oportuno de um importante estudioso das religiões, Hans-Jürgen Greschat, para que não se confie em demasia nas reconstruções ideais que os textos religiosos acabam por proporcionar,[8] até porque eles nos dão eventual acesso a, no máximo, algumas facetas da experiência religiosa de que emergem e na qual pretendem intervir. Aplicado a nosso caso, isso significa que os *Apontamentos...* não podem ser tomados, sem mais, como expressão da vivência religiosa e dos valores que Belo Monte terá encarnado. Além disso, apenas por uma leitura cuidadosa de suas páginas se poderá perceber em qual realidade sociorreligiosa, fluida, multifacetada, em constante elaboração, essas anotações escritas, e de alguma forma verbalizadas, estão visceralmente imbricadas.

Por outro lado, tem razão Greschat ao sugerir que "textos sagrados são mais importantes para sacerdotes do que para leigos, mas nem estes, nem aqueles contentam-se com eles. Sua vida religiosa é mais abrangente do que apenas a doutrina e sua interpretação".[9]

No entanto, pode-se pedir licença ao notável estudioso para inserir aí ao menos uma ponderação, pertinente não apenas para o caso dos *Apontamentos...*:

---

[7] Ibidem, p. 237. Obviamente para o autor tal expressão designa algo degradado, uma combinação desastrada entre "o antropismo do selvagem, o animismo do africano e, o que é mais, o próprio aspecto emocional da raça superior" (p. 239).
[8] Hans-Jürgen Greschat, *O Que É Ciência da Religião?* São Paulo, Paulinas, 2006, p. 62-63.
[9] Ibidem, p. 63.

para aquele que assume os conteúdos das prédicas registradas nesse caderno e os subscreve, a doutrina e a interpretação dela terão jogado papel mais decisivo do que em outros cenários, isso por conta das peculiaridades da conjuntura conflitiva em relação à ordem política e religiosa. Assim, a limitação inerente ao trabalho de quem estuda as religiões (quase sempre trabalhar apenas com textos) se encontra, neste caso, com uma necessidade derivada das circunstâncias em que se dava a experiência religiosa que cabia ao Conselheiro animar e orientar. Nesse contexto, estudar o texto pode, comparativamente, proporcionar melhor acesso à vivência e as concepções religiosas do grupo, e particularmente de seu líder, do que se conseguiria em outros cenários.

Dessa forma, como o estudo dos *Apontamentos...* pode indicar pistas para o estudo dos textos religiosos das diversas tradições em que eles foram elaborados? Na impossibilidade de muitos detalhes, sirva a seguinte sugestão, que na verdade deriva de Gerd Theissen, notável estudioso do Novo Testamento e das origens cristãs. Em seu sintético estudo sobre a eficácia que os Evangelhos terão pretendido alcançar nos ambientes em que foram produzidos,[10] ele propõe que se façam cinco perguntas básicas e que se procure verificar como as respostas a elas são elaboradas em cada um dos escritos. As questões são: a) Como o evangelista se mostra enraizado no grupo religioso que pretende atingir, e como expressa essa sua pertença? b) Que orientações são dadas em relação ao mundo circundante? c) Como cada um deles entende a relação da comunidade com a religião maior de que provém? d) Como o texto sugere a superação de eventuais conflitos dentro do grupo? e) Como o evangelista alcança ser reconhecido como autoridade competente para ser ouvido e aceito?

Obviamente essas questões precisam ter seu enfoque ajustado em função do cenário sociorreligioso em que se encontre o documento a que elas serão aplicadas. O estudo dos *Apontamentos...* e da experiência religiosa que eles procuraram sustentar permite encaminhar respostas a algumas delas, a

---

[10] Gerd Theissen, *Los Evangelios y la Política Eclesial: Un Enfoque Sociorretórico*. Estella, Verbo Divino, 2002. A metodologia de análise é exposta às p. 9-16.

começar pela última. O Conselheiro tem sua autoridade definida previamente por sua condição de pregador estabelecida historicamente; e, mais do que partilhar as convicções básicas do grupo (o que ele efetivamente faz, em linhas gerais), ele as preenche de significado peculiar, o que torna sua palavra indispensável. Os *Apontamentos...* estão cheios de indicações sobre como a gente do Belo Monte há de proceder imersa no mundo que traz tantas armadilhas do demônio, em forma de seduções e prazeres; sem mencionar explicitamente (mas também aqui vale o ditado popular sobre a meia palavra), alerta para os riscos trazidos pela República e para a necessidade de obedecer apenas a quem tem seu poder emanado da onipotência divina. Vagas também, mas não inexistentes, são as observações referidas às tensões no interior da comunidade, especialmente aquelas que envolvem comportamentos cotidianos e atividades religiosas.

Mas principalmente são muito sugestivas as páginas em que os *Apontamentos...*, ao se referirem à configuração religiosa dentro de cujo âmbito surgem, afirmam e reiteram continuidades (mas nas entrelinhas também descontinuidades) com os elementos estruturantes fundamentais da cosmovisão católica. E se a isso se reagisse com a denúncia do caráter clerical do conteúdo, talvez Theissen pudesse responder que algo similar se encontra no Evangelho segundo Mateus, que se mostra cheio de referências à Escritura judaica, cujas profecias se cumprem em Jesus (e não em outro), e de reverências às autoridades religiosas de sua época, mas nem por isso promove a simples reprodução de uma eventual ortodoxia judaica daquele tempo.

Assim, porque configuram uma forma muito peculiar de conceber a vida e a morte à luz de uma cosmovisão religiosa que não pareceria favorecê-la, porque dão acesso a um foco de outra forma inacessível da experiência religiosa vivenciada no Belo Monte, porque demandam estratégias sutis de interpretação, que fujam dos clichês e das conclusões apressadas, os *Apontamentos...* soam promissores, e demandam leitura e releitura cuidadosas. E o desinteresse que até agora esse documento suscitou é injustificável, tendo a ver mais com a limitação do olhar que com as possibilidades por ele apresentadas, que são tão diversas como alvissareiras.

BIBLIOGRAFIA

A Bíblia Sagrada Contendo o Velho e o Novo Testamento. Lisboa: Typografia de José Carlos de Aguiar Vianna, 2 vols., 1852 e 1853.

ABDALA JUNIOR, Benjamin e ALEXANDRE, Isabel (orgs.). *Canudos: Palavra de Deus, Sonho da Terra*. São Paulo: Senac / Boitempo, 1997.

ABREU, Regina. *O Enigma de Os Sertões*. Rio de Janeiro: Funarte / Rocco, 1998.

AGUIAR, Flávio. "A Volta da Serpente: Um Estudo sobre *Os Sertões*, de Euclides da Cunha". Mimeo, 8p.

_____. "O Anacoreta Sombrio. Estudo sobre as Máscaras Literárias Atribuídas a Antonio Conselheiro". Mimeo, 5p.

ALMEIDA, Cícero Antônio F. de (org.). *Canudos: Imagens da Guerra*. Rio de Janeiro: Lacerda, 1997 (fotos de Flávio de Barros).

ALVES, Rubem. *O Suspiro dos Oprimidos*. 3. ed. São Paulo: Paulinas, 1992.

ANDRADE, Olímpio de Souza. *História e Interpretação de Os Sertões*. 4. ed. Rio de Janeiro: Academia Brasileira de Letras, 2002.

ANDRÉS-GALLEGO, José. *História da Gente Pouco Importante*. Lisboa: Estampa, 1993.

ARAS, José. *Sangue de Irmãos*. Salvador: Museu do Bendegó, 1953.

ARAÚJO, Heitor de. *Vinte Anos de Sertão*. Bahia: Empresa Gráfica, 1953.

ARAÚJO, Luiz Carlos. "Antônio Conselheiro, Peregrino e Profeta". *Estudos Bíblicos*, Petrópolis, n. 4, p. 67-70, s/d.

ARAÚJO, Nelson de. *Pequenos Mundos. Um Panorama da Cultura Popular na Bahia*. Salvador: Universidade Federal da Bahia / Fundação Casa de Jorge Amado, 3 t., 1988.

ARAÚJO, Sadoc de. *Padre Ibiapina, Peregrino da Caridade*. São Paulo: Paulinas, 1996.

ARAÚJO FILHO, Ismar de Oliveira. "A Adesão do Clero ao Movimento Conselheirista". *Revista FAEEBA*, Salvador, 1995. Número especial Canudos, p. 83-90.

ARMOGHATE, Jean-Robert (ed.). *Le Grand Siècle et la Bible*. Paris: Beauchesne, 1989.

ARRUDA, João. *Canudos: Messianismo e Conflito Social*. Fortaleza: UFC / Secult, 1993.

D'AVEYRO, Pantaleam. *Itinerario da Terra Santa, e suas Particularidades*. Antonio Pedrozo Galram, Lisboa, 1721. Disponível em: <http://purl.pt/287/1/P383.html>. Acesso em: 16 fev. 2009.

AZEVEDO, Sílvia Maria. "*O Rei dos Jagunços* de Manuel Benício: Um Estudo Introdutório". In: O Rei dos Jagunços *de Manuel Benício: entre a Ficção e a História*. São Paulo: Edusp, 2003, p. 11-38.

AZZI, Riolando. "Elementos para a História do Catolicismo Popular". *Revista Eclesiástica Brasileira*. Petrópolis, n. 141, p. 95-141, 1976.

_____. "As Romarias de Juazeiro: Catolicismo Luso-Brasileiro Versus Catolicismo Romanizado". In: *Anais do Iº Simpósio Internacional sobre o Padre Cícero e os Romeiros de Juazeiro do Norte*. Fortaleza: UFC, 1998, p. 111-37.

BANDEIRA, Maria de Lourdes. *Os Kariri de Mirandela: Um Grupo Indígena Integrado*. Salvador: UFBA, 1972.

BARRETO, Emídio Dantas. "Destruição de Canudos". *Jornal do Recife*, 1912.

BARROS, Luitgarde Oliveira Cavalcanti. *A Terra da Mãe de Deus: Um Estudo do Movimento Religioso de Juazeiro do Norte*. Rio de Janeiro: Francisco Alves, 1988.

_____. *O Sertão de Ibiapina e o Mundo dos Beatos*. Disponível em: <http://www.portfolium.com.br/artigo-lutigarde.htm>. Acesso em: 13 dez. 2002.

_____. "Crença e Parentesco na Guerra de Canudos". In: MENEZES, Eduardo Diatahy B. de e ARRUDA, João (org.). *Canudos: As Falas e os Olhares*. Fortaleza: UFC, 1995, p. 74-89.

BARTELT, Dawid Danilo. "Cerco Discursivo de Canudos". *Cadernos do Ceas*. Salvador, s/n., p. 37-46, 1997.

BARTHES, Ronald. *Sade, Fourier, Loyola*. São Paulo: Martins Fontes, 1990.

BASTIDE, Roger. *Brasil: Terra de Contrastes*. São Paulo: Difusão Europeia do Livro, 1959.

BASTOS, José Augusto Barretto. *Incompreensível e Bárbaro Inimigo: A Guerra Simbólica contra Canudos*. Salvador: Edufba, 1995.

BENEDETTI, Luiz Roberto. *Os Santos Nômades e o Deus Estabelecido*. São Paulo: Paulinas, 1984.

BENÍCIO, Manuel. "O Rei dos Jagunços: Crônica Histórica e de Costumes Sertanejos sobre os Acontecimentos de Canudos". In: AZEVEDO, Sílvia Maria. *O Rei dos Jagunços de Manoel Benício: Entre a Ficção e a História*. São Paulo: Edusp, 2003, p. 41-330.

BENJAMIN, Roberto Câmara. "A Religião nos Folhetos Populares". *Revista de Cultura*. Petrópolis, Vozes, vol. 64, n. 8, p. 609-33, 1970.

BLOCH, Didier. "Rio de Leite e Barrancos de Cuscuz: A Produção na Canudos Conselheirista". In: BLOCH, Didier (org.). *Canudos: Cem Anos de Produção*. Paulo Afonso: Fonte Viva, 1997, p. 67-90.

BOER, Martinus de. "A Influência da Apocalíptica Judaica sobre as Origens Cristãs: Gênero, Cosmovisão e Movimento Social". In: *Estudos de Religião*, São Bernardo do Campo, n. 19, p. 11-24, 2001.

BOMBINHO, Manuel Pedro das Dores. *Canudos: História em Versos*. São Paulo: Hedra / Imprensa Oficial do Estado / Edufscar, 2002.

BOSI, Alfredo. *Dialética da Colonização*. 3. ed. São Paulo: Companhia das Letras, 1995.

_____. *Literatura e Resistência*. São Paulo: Companhia das Letras, 2002.

BRANDÃO, Adelino. *A Sociologia d'Os Sertões*. Rio de Janeiro: Artium, 1996.

BRANDÃO, Carlos Rodrigues. *Os Deuses do Povo*. 2. ed. São Paulo: Brasiliense, 1986.

BRITO, Gilmário Moreira. *Pau de Colher na Letra e na Voz*. São Paulo: Educ, 1999.

BURKE, Peter. *As Fortunas d'O Cortesão: A Recepção Europeia a O Cortesão de Castiglione*. São Paulo: Unesp, 1997.

CALASANS, José. *O Ciclo Folclórico do Bom Jesus Conselheiro: Contribuição ao Estudo da Campanha de Canudos*. Salvador: Tipografia Beneditina, 1950 (edição fac-similar pela Edufba, Salvador, 2002).

_____. *No Tempo de Antônio Conselheiro: Figuras e Fatos da Campanha de Canudos*. Salvador: Universidade da Bahia, 1959.

_____. *Quase Biografias de Jagunços: o Séquito de Antônio Conselheiro*. Salvador: Centro de Estudos Baianos da Universidade Federal da Bahia, 1986.

CALASANS, José. "Canudos não Euclidiano". In: SAMPAIO NETO, José Augusto Vaz et al. *Canudos: Subsídios para sua Reavaliação Histórica*. Rio de Janeiro: Fundação Casa de Rui Barbosa, 1986, p. 1-21; também in: *Cartografia de Canudos*. Salvador: Secretaria de Cultura e Turismo do Estado da Bahia / Conselho Estadual de Cultura / Empresa Gráfica da Bahia, 1997, p. 11-24.

_____. "Documentos para a História de Canudos". *Revista FAEEBA,* Salvador, 1995. Número especial Canudos, p. 167-74.

_____. "Antônio Conselheiro, Construtor de Igrejas e Cemitérios". In: *Cartografia de Canudos*. Salvador: Secretaria de Cultura e Turismo do Estado da Bahia / Conselho Estadual de Cultura / Empresa Gráfica da Bahia, 1997, p. 61-72.

_____. "Canudos: Origem e Desenvolvimento de um Arraial Messiânico". In: *Cartografia de Canudos*. Salvador: Secretaria de Cultura e Turismo do Estado da Bahia / Conselho Estadual de Cultura / Empresa Gráfica da Bahia, 1997, p. 49-60.

_____. "O Séquito de Antônio Conselheiro". In: *Cartografia de Canudos*. Salvador: Secretaria de Cultura e Turismo do Estado da Bahia / Conselho Estadual de Cultura / Empresa Gráfica da Bahia, 1997, p. 43-47.

_____. "Belo Monte Resiste". *Revista da Bahia*. Salvador, n. 22, p. 10-21, 1997.

_____. "Solidariedade Sim, Igualdade Não: Aspectos Controvertidos do Episódio de Canudos". In: BLOCH, Didier (org.). *Canudos: Cem Anos de Produção*. Paulo Afonso: Fonte Viva, 1997, p. 37-46.

CAMPINA, Maria da Conceição Lopes. *Voz do Padre Cícero e Outras Memórias*. Org. Eduardo Hoornaert. São Paulo: Paulinas, 1985.

CARVALHO, José Murilo. *A Formação das Almas: O Imaginário da República no Brasil*. 7. ed. São Paulo: Companhia das Letras, 1998.

_____. *Os Bestializados: O Rio de Janeiro e a República que Não Foi*. 3. ed. São Paulo: Companhia das Letras, 1999.

CASCUDO, Luís da Câmara. *Dicionário do Folclore Brasileiro*. 10. ed. Rio de Janeiro: Ediouro, s/d.

_____. *Literatura Oral no Brasil*. 2. ed. São Paulo: Global, 2006.

CAVALCANTE, Raimundo Eliete. "A Figura e a Atividade de Antônio Conselheiro". *Estudos Bíblicos*, Petrópolis, n. 37, p. 57-66, 1993.

CERTEAU, Michel de. *A Escrita da História*. 2. ed. Rio de Janeiro: Forense Universitária, 2000.

CERTEAU, Michel de et al. *A Invenção do Cotidiano*. Petrópolis: Vozes, 2 vols., 2000.

CHARTIER, Roger. *A História Cultural: Entre Práticas e Representações*. Lisboa / Rio de Janeiro: Difel / Bertrand Brasil, 1990.

CHÂTELLIER, Louis. *A Religião dos Pobres: As Fontes do Cristianismo Moderno*. Lisboa: Estampa, 1995.

CHAUÍ, Marilena. *Brasil: Mito Fundador e Sociedade Autoritária*. São Paulo, Perseu Abramo, 2000.

_____. "Profecias e Tempo do Fim". In: NOVAES, Adauto (org.). *A Descoberta do Homem e do Mundo*. São Paulo: Companhia das Letras, 1998, p. 453-505.

CONSORTE, Josildeth Gomes. "A Mentalidade Messiânica". *Ciências da Religião*, São Bernardo do Campo, n. 1, p. 43-50, 1983.

_____. "Movimentos Messiânicos no Nordeste". In: *A Igreja Católica Diante do Pluralismo Religioso (II)*. São Paulo: Paulinas, 1993, p. 54-66.

COSTA, Francisco (org.). "Textos de José Calasans". *Revista USP*, São Paulo, n. 20, p. 6-27, 1993/1994.

COSTA, Flávio José Simões. *Antônio Conselheiro, Louco?*. Ilhéus: Editus, 1998.

COUTO, Manoel José Gonçalves. *Missão Abreviada para Despertar os Descuidados, Converter os Pecadores e Sustentar o Fruto das Missões*. 9. ed. Porto: Casa de Sebastião José Pereira, 1873.

CUNHA, Euclides da. *Caderneta de Campo*. São Paulo: Cultrix, 1975.

_____. *Os Sertões: Campanha de Canudos*. São Paulo: Ateliê / Imprensa Oficial do Estado / Arquivo do Estado, 2001 (edição, prefácio, cronologia, notas e índices por Leopoldo Bernucci).

_____. *Diário de uma Expedição*. São Paulo: Companhia das Letras, 2000.

DARNTON, Robert. *O Beijo de Lamourette: Mídia, Cultura e Revolução*. São Paulo: Companhia das Letras, 1995.

DELUMEAU, Jean. *História do Medo no Ocidente: 1300-1800, uma Cidade Sitiada*. São Paulo: Companhia das Letras, 1996.

_____. *Mil Anos de Felicidade: Uma História do Paraíso*. São Paulo: Companhia das Letras, 1997.

DESROCHERS, Georgettes e HOORNAERT, Eduardo (orgs.). *Padre Ibiapina e a Igreja dos Pobres*. São Paulo: Paulinas, 1984.

DOBRORUKA, Vicente. *Antônio Conselheiro: O Beato Endiabrado de Canudos*. Rio de Janeiro: Diadorim, 1997.

DOCKERY, David S. *Hermenêutica Contemporânea à Luz da Igreja Primitiva*. São Paulo: Vida, 2005.

DRUMMOND, Maria Francelina Silami Ibrahim. *Leitor e Leitura na Ficção Colonial*. Ouro Preto: LER, 2006.

EAGLETON, Terry. *Teoria da Literatura: Uma Introdução*. São Paulo: Moderna, 2003.

ECO, Umberto. *Obra Aberta*. 8. ed. São Paulo: Perspectiva, 1997.

_____. *Interpretação e Superinterpretação*. 2. ed. São Paulo: Martins Fontes, 1997.

_____. *Os Limites da Interpretação*. São Paulo: Perspectiva, 1995.

ELIADE, Mircea. *O Sagrado e o Profano: A Essência das Religiões*. São Paulo: Martins Fontes, 1996.

FACÓ, Rui. *Cangaceiros e Fanáticos*. 6. ed. Rio de Janeiro: Civilização Brasileira / Universidade Federal do Ceará, 1980.

FAUS, José Ignacio González. *A Autoridade da Verdade: Momentos Obscuros do Magistério Eclesiástico*. São Paulo: Loyola, 1998.

FERNANDES, Rubem César. "'Religiões Populares': Uma Visão Parcial da Literatura Recente". In: *O que se Deve Ler em Ciências Sociais no Brasil*. São Paulo: Cortez / Anpocs, n. 3, 1990, p. 238-73.

FERREIRA, Jerusa Pires. "Notas Preliminares para uma Leitura do *Compêndio Narrativo do Peregrino da América*, de Nuno Marques Pereira". *Revista USP*, São Paulo, n. 50, p. 18-33, 2001.

FIORIN, José Luiz. *A Ilusão da Liberdade Discursiva: Uma Análise das Prédicas de Antônio Conselheiro*. Faculdade de Filosofia, Letras e Ciências Humanas da Universidade de São Paulo, 1978. (Dissertação de Mestrado)

_____. "O Discurso de Antônio Conselheiro". *Religião e Sociedade*, Rio de Janeiro, n. 5, p. 95-129, 1980.

FRAGOSO, Hugo, Franco. "O Apaziguamento do Povo Rebelado Mediante as Missões Populares, Nordeste do II Império". In: SILVA, Severino Vicente da (org.). *A Igreja e o Controle Social nos Sertões Nordestinos*. São Paulo: Paulinas, 1988, p. 10-53.

_____. "Canudos: um Desencontro entre Duas Igrejas". Salvador, Mimeo, 17p.

FRANCO JÚNIOR, Hilário. *Cocanha: A História de um País Imaginário*. São Paulo: Companhia das Letras, 1998.

_____. (org.). *Cocanha: As Várias Faces de um País Imaginário*. São Paulo: Ateliê, 1998.

GALVÃO, Walnice Nogueira. *No Calor da Hora: A Guerra de Canudos nos Jornais*. 3. ed. São Paulo: Ática, 1994.

_____. "Piedade e Paixão: Os Sermões do Conselheiro". In: GALVÃO, Walnice Nogueira e PERES, Fernando da Rocha (orgs.). *Breviário de Antonio Conselheiro*. Salvador: Edufba / Odebrecht, 2002, p. 11-20.

GEERTZ, Clifford. *A Interpretação das Culturas*. Rio de Janeiro: LTC, 1989.

GENOVESE, Eugene D. *A Terra Prometida: O Mundo que os Escravos Criaram*. Rio de Janeiro / Brasília: Paz e Terra / CNPq, 1988.

GIBERT, Pierre. *Pequena História da Exegese Bíblica*. Petrópolis: Vozes, 1995.

GINZBURG, Carlo. "O Inquisidor como Antropólogo". *Revista Brasileira de História*, São Paulo, n. 21, p. 9-20, 1990/1991.

_____. *O Queijo e os Vermes: O Cotidiano e as Ideias de um Moleiro Perseguido pela Inquisição*. 10. ed. São Paulo: Companhia das Letras, 1998.

_____. *Mitos, Emblemas, Sinais: Morfologia e História*. 3. ed. São Paulo: Companhia das Letras, 1999.

GRAVES, Robert e PATAI, Rafael. *Los Mitos Hebreos: El Libro del Génesis*. Buenos Aires: Losada, 1969. Disponível em: < http://www.scribd.com/doc/8663931/Los--Mitos-Hebreos-Robert-GravesRafael-Patai>. Acesso em: 16 fev. 2009.

GRESCHAT, Hans-Jürgen. *O Que É Ciência da Religião?* São Paulo: Paulinas, 2005.

GRUZINSKI, Serge. *La Colonización del Imaginario: Sociedades Indígenas y Occidentalización en el México Español.* Siglos XVI-XVIII. México: Fondo de Cultura Económica, 2000.

GUERRA, Sérgio. *Universos em Confronto: Canudos versus Bello Monte.* Salvador: Uneb, 2000.

GUIMARÃES, Alba Zaluar. *Os Homens de Deus:* Um Estudo dos Santos e das Festas no Catolicismo Popular. Rio de Janeiro: Zahar, 1983.

_____. "Os Movimentos 'Messiânicos' Brasileiros: Uma Leitura". In: *O que se Deve Ler em Ciências Sociais no Brasil.* São Paulo: Cortez / Anpocs, n. 1, 1986, p. 141-57.

HANSEN, João Adolfo. *Alegoria: Construção e Interpretação da Metáfora.* Campinas: Hedra / Editora da Unicamp, 2006.

HAUCK, João Fagundes et al. *História da Igreja no Brasil: Segunda Época, Século XIX.* 2. ed. Petrópolis: Vozes, 1985.

HERMANN, Jacqueline. "Canudos Destruída em Nome da República". *Tempo.* Rio de Janeiro, vol. 2, n. 3, p. 81-105, 1997.

_____. "Canudos: A Terra dos Homens de Deus". *Estudos Sociedade e Agricultura.* Rio de Janeiro, n. 9, p. 16-34, 1997.

HILHORST, Anthony. "Ager Damascenus: Views on the Place of Adam's Creation". *Warszawskie Studia Teologiczne.* Warszaw, vol. 20, n. 2, p. 131-44, 2007. Disponível em: <http://digital.fides.org.pl/Content/460/Hilhorst.pdf>. Acesso em: 16 fev. 2009.

HILL, Christopher. *O Mundo de Ponta-cabeça: Ideias Radicais Durante a Revolução Inglesa de 1640.* São Paulo: Companhia das Letras, 2001.

_____. *A Bíblia Inglesa e as Revoluções do Século XVII.* Rio de Janeiro: Civilização Brasileira, 2003.

HIRSCHMAN, Albert O. *Retóricas de la Intransigencia.* México: Fondo de Cultura Económica, 1991.

HOEFLE, Scott William. "Igreja, Catolicismo Popular e Religião Alternativa no Sertão Nordestino". *Revista de Ciências Sociais,* Fortaleza, vol. 26, n. 1/2, p. 24-47, 1995.

HOORNAERT, Eduardo. *Formação do Catolicismo Brasileiro: 1550-1800. Ensaio de Interpretação a partir dos Oprimidos.* Petrópolis: Vozes, 1974.

_____. "Sacerdotes e Conselheiros: Uma Reflexão a Partir de Alguns Textos dos Primórdios da História do Brasil". *Estudos Bíblicos*, Petrópolis, n. 37, p. 67-74, 1993.

_____. *Os Anjos de Canudos: Uma Revisão Histórica*. Petrópolis: Vozes, 1997.

_____. "Questões Metodológicas Acerca da Igreja do Caldeirão (Heurística e Hermenêutica)". In: *Anais do I° Simpósio Internacional sobre o Padre Cícero e os Romeiros de Juazeiro do Norte*. Fortaleza: UFC, 1998, p. 88-109.

HORCADES, Alvim Martins. *Descrição de uma Viagem a Canudos*. Bahia: Litho-Typografia Tourinho, 1899 (edição fac-similar pela Empresa Gráfica da Bahia / UFBA, Salvador, 1996).

JOSEFO, Flavio. *Antiguidades de los Judíos*. Barcelona: Clie, 3t., 1988.

KANTOROWICZ, Ernst H. *Os Dois Corpos do Rei: Um Estudo sobre Teologia Política Medieval*. São Paulo: Companhia das Letras, 1998.

KÄSEMANN, Ernst. "Puntos Fundamentales para la Interpretación de Rm 13". In: *Ensayos Exegéticos*. Salamanca: Sígueme, 1978, p. 29-50.

LANTERNARI, Vittorio. *As Religiões dos Oprimidos: Um Estudo dos Modernos Cultos Messiânicos*. São Paulo: Perspectiva, 1974.

_____. "Milênio". *Enciclopédia Einaudi*, Imprensa Nacional, Casa da Moeda, vol. 30, p. 303-24, 1994.

LE GOFF, Jacques. *São Luís: Biografia*. Rio de Janeiro: Record, 1999.

LENHARO, Alcir. *Sacralização da Política*. 2. ed. Campinas: Papirus, 1989.

LEVINE, Robert M. *O Sertão Prometido: O Massacre de Canudos*. São Paulo: Edusp, 1995.

LIGÓRIO, Afonso Maria de. "Relógio da Paixão". Disponível em: <https://radiocristiandad.wordpress.com/2015/03/30/reloj-de-la-pasion-por-san-alfonso-maria-de-ligorio-6/>. Acesso em: 30 mar. 2015.

LIMA, Luiz Costa. *Terra Ignota: A Construção de Os Sertões*. Civilização Brasileira, Rio de Janeiro: Civilização Brasileira, 1997.

_____. (org.). *A Literatura e o Leitor: Textos de Estética da Recepção*. 2. ed. Rio de Janeiro: Paz e Terra, 2002.

LOPES, Paulo Eduardo. "Estereótipos Figurativos em Canções de Vandré e de Caetano: Notas para uma Abordagem Dialógica". Disponível em: <http://paulo-lopes.sites.uol.com.br/Artigoca.htm>. Acesso em: 28 fev. 2009.

LUBAC, Henri de. *Histoire et Esprit: L'Intelligence de l'Écriture d'Après Origène*. Paris: Aubier, 1950.

_____. *A Escritura na Tradição*. São Paulo: Paulinas, 1970.

LUSTOSA, Oscar de Figueiredo. *A Igreja Católica no Brasil República*. São Paulo: Paulinas, 1991.

MACEDO, José Rivair e MAESTRI, Mario. *Belo Monte: Uma História da Guerra de Canudos*. 2. ed. São Paulo: Moderna, 1997.

MACEDO, Nertan. *Antônio Conselheiro: A Morte em Vida do Beato de Canudos*. Rio de Janeiro: Record, 1969.

_____. *Memorial de Vilanova*. 2. ed. Rio de Janeiro / Brasília: Renes / Instituto Nacional do Livro, 1983.

MACIEL, Antonio Vicente Mendes. *Apontamentos dos Preceitos da Divina Lei de Nosso Senhor Jesus Cristo, para a Salvação dos Homens*. Caderno manuscrito, Belo Monte, 1895 (precedido de transcrição interrompida do Novo Testamento cristão). Edição em CD-ROM pela Universidade Federal da Bahia, 2001.

_____. *Tempestades que se Levantam no Coração de Maria por Ocasião do Mistério da Anunciação*. Caderno manuscrito, Belo Monte, 1897. In: NOGUEIRA, Ataliba. *António Conselheiro e Canudos: Revisão Histórica*. 3. ed. São Paulo: Atlas, 1997, p. 57-197.

MAESTRI, Mario. *Bacamarte versus Comblain. Apontamentos sobre a Historiografia da República Sertaneja de Belo Monte*. Disponível em: <http://www.portfolium.com.br/artigo-maestri.htm>. Acesso em: 9 mar. 2003.

_____. *Elogio à Dominação: R. M. Levine e a República Sertaneja de Belo Monte*. Disponível em: <http://www.portfolium.com.br/resenha-maestri.htm>. Acesso em: 9 mar. 2003.

MARTINS, Cícero Dantas. "Carta Enviada ao *Jornal de Notícias*, de Salvador, e Publicada na Edição de 4 e 5 de março de 1897". In: ARRUDA, João. *Canudos: Messianismo e Conflito Social*. Fortaleza: UFC / Secult, 1993, p. 173-83.

MARTINS, José de Souza. *Os Camponeses e a Política no Brasil*. 2. ed. Petrópolis: Vozes, 1983.

MARTINS, Paulo Emílio Matos. *A Reinvenção do Sertão: A Estratégia Organizacional de Canudos*. São Paulo: Fundação Getulio Vargas, 2001.

MASCARENHAS, Maria Lucia Felício. *Rio de Sangue e Ribanceira de Corpos*. Salvador: UFBA, 1995. (Monografia de bacharelado) (Resumo em: "Rio de Sangue e Ribanceira de Corpos. Memória e Tradição Oral da Participação dos Índios Kiriri e Kaimbé na Guerra de Canudos (1893-1897)". *Cadernos do CEAS*, Salvador, p. 59-72, 1997.)

MENDES, Bartolomeu de Jesus. *Formação Cultural e Oratória de Antônio Conselheiro*. Salvador: BDA 1997.

MENDONÇA, José Tolentino. *A Leitura Infinita: A Bíblia e a sua Interpretação*. São Paulo / Recife: Paulinas / Universidade Católica de Pernambuco, 2015.

MENEZES, Eduardo Diatahy B. de. "O Imaginário Popular do Sertão". In: *Anais do I° Simpósio Internacional sobre o Padre Cícero e os Romeiros de Juazeiro do Norte*. Fortaleza: UFC, 1998, p. 51-90.

_____. "Canudos e a Literatura". In: MENEZES, Eduardo Diatahy B. de e ARRUDA, João (orgs.). *Canudos: As Falas e os Olhares*. Fortaleza: UFC, 1995, p. 41-53.

_____. "Une Réévaluation des Mouvements Soi-Disant Messianiques du Nord-Est du Brésil". *Cahiers du Brésil Contemporain*. Paris, n. 35/36, p. 47-60, 1998.

_____. "A Historiografia Tradicional de Canudos". Disponível em: <http://www.portfolium.com.br/artigo-diatahy.htm>. Acesso em: 13 dez. 2002; texto de 1997.

MILTON, Aristides A. "A Campanha de Canudos". *Revista Trimestral do Instituto Histórico e Geográfico Brasileiro*, Rio de Janeiro, vol. 63, parte 2, p. 5-147, 1902.

MONIZ, Edmundo. *Canudos: A Guerra Social*. 2. ed. Rio de Janeiro: Elo, 1987.

MONTE MARCIANO, João Evangelista de. *Relatório Apresentado, em 1895, pelo Reverendo Frei João Evangelista de Monte Marciano, ao Arcebispado da Bahia, sobre Antonio Conselheiro e seu Séquito no Arraial dos Canudos*. Salvador: Tipografia do Correio da Bahia, 1895 (edição fac-similar pelo Centro de Estudos Baianos, 1987).

MONTE MARCIANO, João Evangelista de. *Memórias de Frei João Evangelista de Monte Marciano Missionário Apostólico Capuchinho, Nascido em 1843, Ordenado Sacerdote em 1870 e Chegado na Bahia no Dia 12 de Outubro de 1872*. Caderno manuscrito.

MONTENEGRO, Abelardo F. *Fanáticos e Cangaceiros*. Fortaleza: Henriqueta Galeno, 1973.

MONTEIRO, Duglas Teixeira. "Um Confronto entre Juazeiro, Canudos e Contestado". In: FAUSTO, Boris (org.). *História Geral da Civilização Brasileira*. 4. ed. Rio de Janeiro: Bertrand Brasil, t. 3, vol. 2, 1990, p. 39-92.

MUCHEMBLED, Robert. *História do Diabo: Séculos XII-XX*. Rio de Janeiro: Bom Texto, 2001.

NASCIMENTO, José Leonardo do. "De *Marc-Aurèle* de Ernest Renan a *Os Sertões* de Euclides da Cunha: Milenarismo e Atraso Histórico". In: *Interpretações sobre o Movimento Sertanejo de Canudos*. Lorena: Faculdades Salesianas, 1997, p. 13-18.

NASCIMENTO, José Leonardo do e FACIOLI, Valentim. *Juízos Críticos:* Os Sertões *e os Olhares de sua Época*. São Paulo: Nankim / Unesp, 2003.

NOGUEIRA, Ataliba. *António Conselheiro e Canudos: Revisão Histórica*. 3. ed. São Paulo: Atlas, 1997.

OLIVEIRA, Itamar Freitas de. "No Rastro de Conselheiro". Disponível em: <http://www.infonet.com.br/canudos/roteiro.htm>. Acesso em: 9 mar. 2003.

OLIVEIRA, Pedro Ribeiro de. *Religião e Dominação de Classe: Gênese, Estrutura e Função do Catolicismo Romanizado no Brasil*. Petrópolis: Vozes, 1985.

ONG, Walter J. *Oralidad y Escritura: Tecnologías de la Palabra*. México: Fondo de Cultura Económica, 2001.

ORLANDI, Eni Puccinelli. *Interpretação: Autoria, Leitura e Efeitos do Trabalho Simbólico*. 2. ed. Petrópolis: Vozes, 1998.

OTTEN, Alexandre. *"Só Deus é Grande": A Mensagem Religiosa de Antonio Conselheiro*. São Paulo: Loyola, 1990.

_____. "A Influência do Ideário Religioso na Construção da Comunidade de Belo Monte". *Luso-Brazilian Review*, Wisconsin, vol. 30, n. 2, p. 71-95, 1993.

_____. "Deus é Brasileiro: Uma Leitura Teológica do Catolicismo Popular Tradicional". *Vida Pastoral*, São Paulo, n. 209, p. 13-23, 1999.

PARKER, Cristián. *Religião Popular e Modernização Capitalista: Outra Lógica na América Latina*. Petrópolis: Vozes, 1996.

PEREGRINO, Artur. "Canudos: Um Ritual de Passagem para um Final de Mundo". *Estudos Bíblicos*. Petrópolis, n. 59, p. 53-73, 1998.

PEREIRA, Nuno Marques. *Compêndio Narrativo do Peregrino da América*. 6. ed. Rio de Janeiro: Academia Brasileira de Letras, 2 vols., 1939.

PERES, Fernando da Rocha. "Fragmentária". In: GALVÃO, Walnice Nogueira e PERES, Fernando da Rocha (orgs.). *Breviário de Antonio Conselheiro*. Salvador: Edufba / Odebrecht, 2002, p. 21-38.

PIEDADE, Lélis (org.). *Histórico e Relatório do Comitê Patriótico da Bahia (1897-1901)*. 2. ed. Salvador: Portfolium, 2002 (original de 1901).

PINHEIRO, José Carlos da Costa. "Ano de 1896: Término das Obras da Capela de Santo Antônio de Bello Monte?". *Revista Canudos*, vol. 4, n. 1/2, Salvador, p. 65-74, 2000.

PIXLEY, Jorge. "O Aspecto Político da Hermenêutica". *Revista de Interpretação Bíblica Latino-Americana*. Petrópolis, n. 32, p. 85-100, 1999.

PIÑERO, Antonio (ed.). *Textos Gnósticos*. Madrid: Trotta, 1997-2000, 3v.

POMPA, Maria Cristina. "A Construção do Fim do Mundo: Para uma Releitura dos Movimentos Sócio-Religiosos do Brasil 'Rústico'". *Revista de Antropologia*, São Paulo, vol. 41, n. 1, p. 177-212, 1998.

PONCIO, Denise dos Santos. "Canudos: Uma Construção Oligárquica". *Cadernos do CEAS*. Salvador, s/n, 1997, p. 47-53.

QUEIROZ, Maria Isaura Pereira de. *O Messianismo no Brasil e no Mundo*. 3. ed. São Paulo: Alfa-Ômega, 2003.

REESINK, Edwin. "Jerusalém de Taipa ou Vale das Lágrimas: Algumas Observações sobre o Debate na Literatura Referente a Canudos". *O Olho da História*, Salvador, vol. 2, n. 3, p. 141-51, 1996.

_____. "Til the End of Time: The Differential Attraction of the 'Regime of Salvation' and the 'Entheotopia' of Canudos". Disponível em: <http://www.mille.org/publications/winter2000/reesink.PDF >. Acesso em: 10 fev. 2003.

REGNI, Pietro Vittorino. *Os Capuchinhos na Bahia*. Jesi: U. T. J., vol. 3, 1991.

RENAN, Ernest. *Marc-Aurèle et la Fin du Monde Antique*. Paris: Calmann-Lévy, 1929.

ROMEIRO, Adriana. *Todos os Caminhos Levam ao Céu: Relações entre Cultura Popular e Cultura Erudita no Brasil do Século XVI*. Campinas: Unicamp, 1991. (Dissertação de Mestrado)

ROMERO, Sílvio. *Estudos sobre a Poesia Popular do Brasil*. Rio de Janeiro: Lammert & C., 1888.

ROQUETE, J. I. *Novas Horas Marianas, ou Officio Menor da Ssma. Virgem Maria e Novo Lecionário mui Completo de Orações e Exercicios de Piedade*. Paris / Lisboa: Guillard, Aillaud & Cia, 1885.

SALLES, Ricardo. *Nostalgia Imperial: A Formação da Identidade Nacional no Brasil do Segundo Reinado*. Rio de Janeiro: Topbooks, 1996.

SAMPAIO, Consuelo Novais (org.). *Canudos: Cartas para o Barão*. São Paulo: Edusp, 1999.

SAMPAIO NETO, José Augusto Vaz et al. *Canudos: Subsídios para a sua Reavaliação Histórica*. Rio de Janeiro: Casa de Rui Barbosa, 1986.

SCHARBERT, Josef. *Introdução à Sagrada Escritura*. 3. ed. Petrópolis: Vozes, 1980.

SENA, Consuelo Pondé de. *Introdução ao Estudo de uma Comunidade do Agreste Baiano. Itapicuru, 1830/1892*. Salvador: Fundação Cultural do Estado da Bahia, 1979.

SEVCENKO, Nicolau. *Literatura como Missão: Tensões Sociais e Criação Cultural na Primeira República*. 4. ed. São Paulo: Brasiliense, 1999.

SEVERINO CROATTO, José. *Hermenêutica Bíblica*. São Leopoldo: Sinodal / Paulinas, 1986.

_____. *Experiencia de lo Sagrado: Estudio de la Fenomenología de la Religión*. Buenos Aires / Estella: Guadalupe / Verbo Divino, 2002.

SHARPE, Jim. "A História Vista de Baixo". In: BURKE, Peter (org.). *A Escrita da História: Novas Perspectivas*. 2 ed. São Paulo: Unesp, 1992, p.39-62.

SILVA, Cândido da Costa e. *Roteiro da Vida e da Morte: Um Estudo do Catolicismo no Sertão da Bahia*. São Paulo: Ática, 1982.

_____. "Uma Leitura Missionária da Seca Nordestina". In: SILVA, Severino Vicente da (org.). *A Igreja e o Controle Social nos Sertões Nordestinos*. São Paulo: Paulinas, 1988, p. 54-72.

_____. "O Peregrino entre os Pastores". *Cadernos de Literatura Brasileira*, São Paulo, n. 13/14, p. 201-32, 2002.

SILVA, Rogério Souza. *Antônio Conselheiro: A Fronteira entre a Civilização e a Barbárie*. São Paulo: Annablume, 2001.

SOARES, Henrique Duque-Estrada de Macedo. *A Guerra de Canudos*. 3. ed. Rio de Janeiro: Philobiblion / Instituto Nacional do Livro, 1985 (original de 1902).

SOUZA, Candice Vidal e. *A Pátria Geográfica: Sertão e Litoral no Pensamento Social Brasileiro*. Goiânia: UFG, 1997.

SOUZA, Laura de Mello e. *O Diabo e a Terra de Santa Cruz: Feitiçaria e Religiosidade Popular no Brasil Colonial*. 6. ed. São Paulo: Companhia das Letras, 1999.

SOUZA NETTO, Francisco Benjamim de. "Antônio Conselheiro e Canudos, Ataliba Nogueira". *Simpósio*, São Paulo, n. 13, p. 36-37, 1975 (resenha).

STAM B., Juan. "Exégesis Bíblica en la Teología de los Conquistadores". *Boletín Teológico*. Flórida, vol. 24, n. 47/48, p. 267-72, 1992.

STEIL, Carlos Alberto. *O Sertão das Romarias: Um Estudo Antropológico sobre o Santuário de Bom Jesus da Lapa – Bahia*. Petrópolis: Vozes, 1996.

TAVARES, Odorico. *Canudos: Cinquenta Anos Depois (1947)*. Salvador: Fundação Cultural do Estado, 1993.

THEISSEN, Gerd. *Los Evangelios y la Política Eclesial: Un Enfoque Sociorretórico*. Estella: Verbo Divino, 2002.

THOMPSON, Edward Palmer. *Costumes em Comum: Estudos sobre a Cultura Popular Tradicional*. São Paulo: Companhia das Letras, 1998.

TODOROV, Tzvetan. *A Conquista da América: A Questão do Outro*. 2 ed. São Paulo: Martins Fontes, 1999.

TUSCO. Cláudio. *Desembargador Federal? A que Propósito?* Disponível em: <http://www.ambito-juridico.com.br/site/index.php?n_link=revista_artigos_leitura&artigo_id=3983>. Acesso em: 9 fev. 2009.

VALENSI, Lucette et al. *Para uma História Antropológica: A Noção de Reciprocidade*. Lisboa: 70, 1978.

VALENTE, Waldemar. *Misticismo e Região: Aspectos do Sebastianismo Nordestino*. Recife: Instituto Joaquim Nabuco de Pesquisas Sociais / MEC, 1963.

VASCONCELLOS, Pedro Lima. "A Vitória da Vida: Milênio e Reinado em Apocalipse 20,1-10". *Revista de Interpretação Bíblica Latino-Americana*, Petrópolis, n. 34, p. 79-92, 1999; também in: *Revista de Interpretación Bíblica Latino-Americana*, Quito, n. 34, p. 74-87, 1999.

_____. "Em Meio a Mártires e Demônios: Euclides da Cunha no Palco da Guerra". In: *Margem*. São Paulo, n. 14, p. 153-67, 2001.

_____. "Legião de Demônios ou Novos Crucificados? Elementos Religiosos e Teológicos nos Olhares de Euclides da Cunha sobre Belo Monte e Antonio Conselheiro". *Revista Canudos*, Salvador, n. 6/7, 2002, p. 103-15.

_____. "Apocalypses in the History of Brazil". *Journal of Studies of New Testament*. London, New York, n. 25/2, p. 235-54, 2002.

_____. "Os Trinta Anos de um Manuscrito Centenário: A Fortuna Crítica de um Caderno Atribuído a Antonio Conselheiro". *Revista Dominicana de Teologia*. São Paulo, vol. 1, p. 42-60, 2005.

_____. *Missão de Guerra: Capuchinhos no Belo Monte de Antonio Conselheiro*. Maceió: Edufal, 2014.

_____. *O Belo Monte de Antonio Conselheiro: Uma Invenção "Biblada"*. Maceió: Edufal, 2015.

VELHO, Otávio. *Besta-Fera: Recriação do Mundo: Ensaios Críticos de Antropologia*. Rio de Janeiro: Relume-Dumará, 1995.

VENEU, Marcos Guedes. "A Cruz e o Barrete: Tempo e História no Conflito de Canudos". *Religião e Sociedade*. Rio de Janeiro, n. 13/2, p. 38-56, 1986.

VIAN, Giovanni Maria. *La Biblioteca de Dios: Historia de los Textos Cristianos*. 2. ed. Madrid: Cristiandad, 2006.

VIEIRA, Antonio. *Defesa Perante o Tribunal do Santo Ofício*. Salvador: Progresso, 2 vols., 1957.

_____. *Sermões*. Org. de Alcir Pécora. São Paulo: Hedra, t.2, 2003.

VOVELLE, Michel. *Ideologias e Mentalidades*. 2. ed. São Paulo: Brasiliense, 1991.

WECKMANN, Luis. *La Herencia Medieval del Brasil.* México: Fondo de Cultura Económica, 1993.

ZAMA, César. *Libelo Republicano Acompanhado de Comentários sobre a Guerra de Canudos.* Salvador: Diário da Bahia, 1899 (edição fac-similar pelo Centro de Estudos Baianos, 1989).

ZANETTINI, Paulo Eduardo. "Por uma Arqueologia de Canudos e dos Brasileiros Iletrados". *O Olho da História*, Salvador, vol. 2, n. 3, p. 99-104, 1996.

ZILLY, Berthold. "A Guerra como Painel e Espetáculo: A História Encenada em Os Sertões". *História, Ciências, Saúde.* Rio de Janeiro, vol. 5, p. 13-37, 1998.

A GUERRA DE CANUDOS   J. BORGES